Árboles frutales

Sumario

Una larga historia

Nuestros árboles frutales son originarios de Asia Central, el Cáucaso y China. Pero ha habido tantos cruces, incluidos los realizados con especies vecinas europeas, y han sido tantos los siglos de selección que, verdaderamente, ya no es posible recomponer su árbol genealógico.

Los primeros huertos conocidos vieron la luz en Egipto, a lo largo del Nilo, y en Persia (la actual Irán). En la Antigüedad, los romanos ya comían manzanas, peras, membrillos, melocotones, ciruelas, cerezas y almendras. Nos lo hicieron saber a través de los intercambios comerciales, pero también por casualidad: se cuenta que unas pepitas de manzana escupidas por los soldados romanos durante sus peregrinaciones hicieron nacer unos manzanos silvestres en Europa Occidental.

Una buena parte del conocimiento sobre los árboles frutales se perdió durante los tumultuosos siglos que siguieron a la caída del

Árbol frutal cultivado en espaldera. Este ejemplar pertenece a la histórica huerta de Saint-Jean-de-Beauregard (París).

Imperio Romano. No obstante, se sabe que los monjes cultivaron árboles frutales en sus monasterios, durante la Edad Media.

Desarrollado a partir del siglo XVII, el delicado arte del cultivo en espaldera permaneció mucho tiempo reservado a una minoría. Hasta la época de la Revolución Francesa, los campesinos y el pueblo no pudieron beneficiarse de las indispensables vitaminas, plantando árboles en los prados o los jardines. Entonces se multiplicaron las variedades locales, idealmente adaptadas a una tierra o a un uso determinado. Tras la Segunda Guerra Mundial, se empezó a preferir el aspecto estético de la fruta a su calidad gustativa, y se descubrieron las variedades americanas, cultivadas a gran escala.

Pero el aficionado todavía puede disfrutar en su jardín del placer único de morder una fruta madurada en el árbol y cogida en su punto, y hasta el más pequeño jardincillo se puede enorgullecer de «su» árbol frutal.

El huerto de antaño se ha integrado en los jardines ornamentales, para el placer de todos nuestros sentidos...

La elección de la especie

La elección de un árbol frutal debe ser una cuestión bien meditada. Depende del gusto de cada uno, desde luego, pero sobre todo de las condiciones de cultivo que se puedan ofrecer al árbol: inviernos suaves y un suelo pedregoso harán las delicias del albaricoquero, pero un manzano en esas condiciones no haría sino vegetar.

Según el clima

Para evitarse problemas y futuras decepciones, lo mejor es elegir por anticipado un árbol frutal adaptado al clima. Un árbol que esté a gusto en las condiciones que se le ofrecen producirá en abundancia y con regularidad, y necesitará pocos cuidados. Por el contrario, una especie mal adaptada a la región se mostrará más sensible a las enfermedades y los parásitos, y exigirá numerosos tratamientos.

No todas las regiones tienen las mismas horas de insolación ni reciben la misma cantidad de lluvia. No piense que la zona sur, más cálida, es más conveniente para los frutales que las regiones del norte. En el sur hace demasiado calor y el clima es demasiado seco en verano para obtener jugosas peras, ciruelas mirabel o manzanas crujientes y perfumadas. Cerezos y melocotoneros sí prosperan mejor allí.

Los climas de tendencia oceánica son muy apreciados por los manzanos y los perales, que tradicionalmente pueblan los prados gallegos y asturianos.

Las regiones de clima continental –frío en invierno, pero cálido y seco en verano– son ideales para los ciruelos, sobre todo para los mirabel.

En cualquier caso, como son muy numerosos los microclimas de nuestro país, es posible cultivar varios tipos de fruta en la mayoría de los jardines. Además, dentro de cada especie, se puede elegir entre variedades con exigencias muy diferentes (*véase* página 18).

Los manzanos: frío y humedad indispensables

Los climas marítimos del norte son perfectos para la mayoría de los manzanos, que

Los árboles frutales temen más las primaveras caprichosas que los inviernos duros.

necesitan, como mínimo, 550 mm de agua de lluvia al año. Y para fructificar bien es imprescindible que pasen frío en invierno. Los inviernos muy suaves no ofrecen a los manzanos el número de horas de frío (próximo a 0 °C) que requieren para reposar bien: ¡hasta mil horas precisan, según las variedades!

Los manzanos no sólo producen mal en las zonas cálidas, sino que, incluso con un aporte de riego, se muestran más sensibles a las enfermedades, sin contar con que la fruta tiene menos sabor. No obstante, para matizar esta declaración, señalaremos que

se cultivan con éxito en las regiones meridionales de montaña baja, hasta 1.000 m de altitud. El árbol resiste sin problemas a -20 o -30 °C.

Los perales: cuidado con los excesos

¡Un verano sin sol o, al contrario, demasiado cálido y nos encontraremos con todas las peras duras o harinosas! Y si una estación es muy húmeda, se pudrirán antes de madurar...

Los perales pueden cultivarse casi en todas partes, pero dan una cosecha de calidad desigual si no disfrutan de unas condiciones favorables, a saber: 700 mm de lluvias por año y un clima templado medio. Una de las zonas predilectas del peral es La Rioja (Rincón de Soto), pero también prospera en otros muchos microclimas.

Puede crecer en zonas de montaña (hasta 1.000 m). Como florece pronto (antes que el manzano), expone más sus flores a las heladas.

Los ciruelos: poco exigentes

Los ciruelos difícilmente pueden vivir en los lugares demasiado fríos y lluviosos, pero soportan de maravilla los vientos más fuertes. Deben escogerse cuidadosamente las variedades de ciruelas *(véase* página 25): las nuevas selecciones americanas o japonesas prefieren una zona más cálida que las mirabeles y quetsches. El ciruelo resiste impasible hasta -30 °C. Florece desde finales de marzo, incluso antes, según la región y la meteorología. Por fortuna, su numerosas florecitas, que se abren escalonadamente durante varias semanas, temen menos las heladas que las de otras especies. Por eso, es raro que la cosecha quede reducida a nada.

El ciruelo aguanta las bajas temperaturas y su floración no teme las heladas.

El melocotonero resiste bien los inviernos rigurosos, pero teme los climas húmedos.

Cuando está en flor, el albaricoquero teme las heladas tardías. En consecuencia, exige primaveras suaves y precoces para fructificar regularmente.

Los albaricoqueros: primavera suave imprescindible

El albaricoquero es un árbol muy rústico que puede soportar -25 °C, al contrario de lo que se cree a menudo. Su problema es que florece ya desde finales de febrero o a principios de marzo, incluso en la mitad norte, por lo que sus flores están expuestas a las temperaturas bajo cero de las noches aún frías de esos meses y no dan la fruta regularmente. En el norte hiela por la noche en esa época cuando el cielo está despejado. Si no hace frío, es que el tiempo está nublado y, muy a menudo, lluvioso, lo cual no es más beneficioso para esta especie. Por este motivo, fuera de la zona mediterránea se cultivan variedades de floración más tardía que la media (véase página 28), preferentemente al abrigo de un muro expuesto al sur.

Los melocotoneros: enamorados del sol

El melocotonero, en suelo seco, muestra una buena resistencia a nuestros inviernos (-20 °C no le dan miedo), pero su floración, muy precoz, pocas veces se escapa a las heladas nocturnas en la mitad norte. La polinización puede sufrir por la ausencia de las abejas. Por otro lado, los climas húmedos favorecen la abolladura, enfermedad terrible para los melocotoneros, sobre todo en las regiones más septentrionales.

El cerezo: para todos

El cerezo puede plantarse casi en cualquier zona hasta 1.000 m de altitud. Sus flores son sensibles a las últimas heladas primaverales. Si el prin-

A los perales les gustan particularmente los terrenos ricos y profundos.

cipio del verano es demasiado lluvioso o alterna calor y fresco, los frutos no prosperan. Algunos años, la cosecha no está a la altura de nuestras expectativas, sobre todo si abril ha sido lluvioso y ventoso; pero, si elegimos una variedad bien adaptada a nuestra región (*véase* página 24), nuestros cerezos nos regalarán al menos cuatro cosechas en cinco años.

Según la naturaleza del suelo

El terreno contribuye casi tanto como el clima al buen desarrollo de un árbol frutal. Los problemas debidos a un suelo inadecuado no siempre son visibles durante los primeros años.

A veces ocurre que, en el momento en que las raíces del árbol alcanzan las capas profundas del suelo, el frutal se marchita súbitamente y sin que sepamos por qué. En este caso, no hay que dudar en enviar una muestra del suelo y el subsuelo a un laboratorio especializado para que la analicen.

Limoso, profundo, sano

Este tipo de suelo le va perfectamente al peral. A esta especie no le molesta un terreno bastante compacto y arcilloso, mientras que el agua no se estanque mucho tiempo. El manzano muestra la misma tolerancia, a la que se añade un buen comportamiento en un terreno calcáreo, al contrario que el peral. A todos los ciruelos, excepto a los 'Reina Claudia', debería gustarles este suelo, así como al cerezo.

Arenoso, ligero, permeable

Bien enriquecido con humus (compost o estiércol descompuesto) este terreno hará feliz al melocotonero. Los ciruelos, sobre todo los 'Reina Claudia', también estarán a sus anchas. Antes de plantar en él un cerezo, hay que aportar compost y un abono de fondo (*véase* página 46). Por el contrario, manzanos y perales no encontrarán en estos suelos la humedad y los nutrientes que necesitan.

Pedregoso, calcáreo, permeable

Es el hábitat predilecto del albaricoquero. El melocotonero también prosperará en él, tras realizar un aporte de materias orgánicas y si el clima le es favorable. Además, se puede plantar un ciruelo, preferentemente mirabel. Al cerezo le gustará también este tipo de suelo.

Margoso, con tendencia esponjosa

Esta clase de terreno no conviene a ningún árbol frutal. Se puede intentar cultivar en él una variedad muy rústica de ciruelo, ya que esta especie a veces se adapta de manera sorprendente a condiciones muy poco favorables.

Según su interés estético

Si tiene poco sitio en el jardín para plantar árboles, es preciso que el que elija reúna todas las cualidades. Los árboles frutales son tan decorativos en el momento de su floración como ciertas especies ornamentales. Además, el follaje otoñal de la mayoría de los frutales rivaliza en elegancia con el de otros árboles y arbustos.

Cuestión de portainjerto

Para cada especie hay disponibles varios portainjertos; algunos presentan la ventaja de adaptarse a terrenos poco favorables. Se plantan en un terreno ligeramente calcáreo, por ejemplo, perales injertados en membrillos. Como el tema es bastante complejo, si decide intentarlo con un albaricoquero en un suelo pesado o con un peral en terreno de tendencia calcárea, por ejemplo, conviene que pida ayuda en un vivero.

Cada uno, pues, debe elegir el que le guste más por sus cualidades estéticas: follaje, floración e incluso por la corteza, del cerezo, por ejemplo.

También debe pensar en el desarrollo que alcanzará el árbol en la edad adulta. Por supuesto que dependerá de la forma elegida (*véase* página 31), pero también de la especie. Los cerezos son los más imponentes. Los melocotoneros se mantienen siempre pequeños y son poco invasores. Los albaricoqueros y ciruelos adoptan, por lo general, un tamaño medio, similar al de los prunos ornamentales, que va bien para los jardines de hoy en día. Los perales y manzanos aportan un innegable toque campestre a la decoración porque envejecen muy bien, con sus troncos y ramas que se agrietan.

Si le gustan...

• *Los follajes bonitos en otoño:* es adorable el melocotonero, cuyos ramos caídos de hoja en forma de lanza enrojecen en esta estación y se mantienen mucho tiempo en el árbol. En cuanto al cerezo, a menudo se convierte en un festival resplandeciente de rojos y púrpuras.

• *La ligereza de formas:* déjese seducir por las miríadas de florecillas del ciruelo, las finas hojas en forma de corazón del albaricoque, así como por su silueta aérea.

• *Los ramajes bien dibujados:* en este caso puede interesarle el peral, cuya forma en pirámide invertida es siempre de una gran elegancia, lo mismo que su brillante follaje.

• *Las líneas redondeadas y suaves:* las sublimes flores (las más grandes junto con las del

El espectáculo de un árbol frutal en flor es digno de las especies ornamentales más hermosas. El manzano es el frutal que ofrece la floración más bonita.

níspero y del membrillo) de color rosa y blanco del manzano le conquistarán, así como su follaje mate y velloso. En pie alto, en pie medio e incluso en maceta, el manzano adopta una silueta redonda y placentera que encuentra sitio en cualquier parte.

• *Los «Árboles», con A mayúscula:* corteza magnífica en invierno, sólidas ramas, porte noble que inspira respeto, el cerezo aportará en verano una

La elección de un árbol frutal también depende de los gustos y la utilización que se pueda hacer de la cosecha.

sombra refrescante digna de un plátano de sombra o de un castaño.

Según sus propios gustos y necesidades

Es un asunto personal: morder una pera jugosa que no encontraremos en los comercios, trepar a un cerezo para embadurnarnos de jugo acidulado, almacenar celosamente perfumadas manzanas para todo el invierno, dejar estallar en la boca la piel deliciosa de un albaricoque henchido de sol...

A cada cual su sueño que, por una vez, es fácil de satisfacer. Uno puede decir sin vacilar cuál es su fruta preferida, pero conviene pensar en ciertos detalles que también tienen su importancia.

Para irse de vacaciones durante un mes cada verano

Hay que elegir un árbol frutal cuyo periodo de cosecha no coincida con la ausencia.

El cerezo la mayor parte de las veces dará sus frutos antes de las vacaciones. Por lo general, perales y manzanos, así como las ciruelas más tardías, esperarán a la vuelta del veraneante. Pero albaricoques, melocotones y mirabeles tienen muchas posibilidades de madurar en cualquier momento en un árbol abandonado en plena producción.

Si el jardín se halla en una segunda vivienda

En este caso, se deben plantar árboles cuyas frutas alcanzarán la madurez durante el periodo de vacaciones. Convendrán cerezas tardías (julio), melocotones y albaricoques (julio-agosto), ciruelas (agosto) y manzanas y peras muy tempranas (agosto).

Si adora las mermeladas

Más que optar por un melocotonero o un peral, cuyas frutas se prestan mal a la elaboración de jaleas y mermeladas, se debe escoger un ciruelo (las ciruelas son fáciles de mezclar con otras frutas para obtener perfumes variados) o un albaricoquero.

Si sueña con un frutal colmado

La autarquía o casi, comer durante todo el invierno las frutas de la propia cosecha: es posible con perales y manzanos de variedades para almacenar (*véanse* páginas 21 y 22), que se cosechan en otoño.

A menos que se congelen o se cuezan (*véase* página 61), cerezas, albaricoques, melocotones y ciruelas se conservan muy poco tiempo.

Las nuevas frutas

Están de moda las especies exóticas, las nuevas frutas sorprendentes. Los centros de jardinería y los catálogos ofrecen cada vez más árboles frutales originales, por ejemplo, dos variedades diferentes en el mismo árbol. Pero atención a las decepciones: el árbol puede crecer, pero no dar jamás una cosecha, porque el clima no le vaya bien o porque haya sido dañado, apenas adulto, por un invierno riguroso. Hay que saber que, al contrario de lo que afirman ciertos catálogos, los caquis, los nísperos del Japón y las granadas sólo fructifican bien en las regiones más favorables; igual que el almendro, que necesita inviernos clementes, un suelo cálido y seco y, sobre todo, una primavera extremadamente temprana (puede florecer desde enero). El mismo problema tenemos con la higuera, que tiene sus frutos a caballo entre dos años y no soporta los verdaderos inviernos de un clima continental. Aunque tradicionales en nuestras huertas, los membrillos, serbales y nísperos no presentan demasiado interés para el aficionado que no pueda plantar más de tres o cinco especies en su jardín.

En cuanto a las invenciones recientes venidas del otro lado del Atlántico o de Extremo Oriente, a veces presentan un gran interés, como el híbrido entre ciruela y albaricoque, o la pera japonesa (nashi), que es un híbrido de pera y manzana.

El problema es que aún no se conocen perfectamente las condiciones de su logro a medio y largo plazo en nuestro país. Además, su sabor, aunque sea divertido y seductor, tiene el peligro de cansar rápidamente nuestros paladares educados a más refinamiento y sabor.

Elegir la especie que convenga

Especie	Floración	Cosecha	Puntos fuertes	Puntos débiles	Contraindicaciones
Albaricoquero	II-III	VII-VIII	Árbol muy bello, robusto. Pocos cuidados.	Floración muy temprana con riesgo de helarse.	Suelos pesados. Climas muy húmedos.
Cerezo	III-IV	VI-VII	Árbol muy bello. Floración encantadora.	Árbol adulto voluminoso. Los pájaros saquean la cosecha.	Suelos muy superficiales. Suelos pesados.
Melocotonero	III	VII-IX	Bonito follaje, talla pequeña. Floración muy bella.	Floración muy precoz con riesgo de helarse. Escasa longevidad (20 años). Sensible a la abolladura.	Climas muy húmedos. Suelos pesados.
Peral	IV	VIII-X	Bella silueta. Buena longevidad.	Producción desigual según el clima. Soporta mal la sequía.	Suelos calcáreos.
Manzano	IV-V	VIII-X	Árbol hermoso de bonitas flores. Numerosas variedades para guardar (todo el invierno). Robustez y longevidad.	Algunas variedades son sensibles a la roña del manzano.	Climas y suelos secos.
Ciruelo	III-IV	VIII-IX	Robustez. Pocos cuidados. Cosechas regulares.	Mediocres cualidades estéticas. Madera quebradiza. Sensible a la moniliosis.	Ninguna.

La elección de la variedad

La elección de la variedad es tan importante como la elección de la especie, pues condiciona las capacidades de adaptación del árbol a las características del jardín, su resistencia a las enfermedades y sobre todo la fructificación y la calidad de la cosecha.

Un poco de vocabulario

Para elegir una variedad frutal sabiendo lo que hacemos y también para comprender el vocabulario de los catálogos o discutir con un viverista como comprador avezado, conviene que conozcamos algunos términos.

Resistente: se dice de una variedad que soporta mejor que las demás los ataques de ciertos parásitos y enfermedades. Si un manzano es «resistente a la roña», será menos propenso que otro a sufrirla en las mismas condiciones.

Sensible: es lo contrario de resistente. Una variedad de melocotonero sensible a la abolladura caerá enferma más fácilmente que las otras, a pesar de los tratamientos.

Vigoroso: se dice de un árbol que desarrolla ramas y follaje en abundancia. Un árbol muy vigoroso es menos productivo. Necesita una amplia poda para fructificar bien.

Manzanas 'Golden' maduras a punto.

Precoz: se dice en general de la floración, pero también de la cosecha. Una floración precoz está más expuesta a las heladas primaverales, que dañan la formación de los frutos. Una cosecha precoz suele ser muy valorada. Atención: que una floración sea precoz no siempre implica que la cosecha también lo sea.

Tardía: una variedad de floración tardía es la más indicada para las regiones expuestas a las heladas primaverales. Este término afecta también a la cosecha: melocotones o ciruelas de septiembre, por ejemplo.

Temprana: se dice de una cosecha que sigue a la floración tras un tiempo más corto que en la mayoría de las variedades.

Madurez: quiere decir que la fruta está buena para cosecharla y comerla. Estas dos nociones no siempre son simultáneas. A veces transcurre mucho tiempo desde que se recoge el fruto del árbol hasta que se consume. Es el caso de las manzanas y las peras de larga conservación.

Autofértil: una variedad es autofértil cuando el pistilo de sus flores es fecundado por el polen de las flores del mismo árbol, transportado por las abejas, el viento... o, si fuera necesario, por nuestro pincel.

El abanico de variedades de manzanas es muy amplio. No hay que descuidar las variedades antiguas, a menudo muy sabrosas.

Autoestéril: para dar frutos, las flores de una variedad autoestéril deben recibir el polen de un árbol vecino.

Plantón, palmeta, pie alto, etc.: formas obtenidas a través de una poda de formación específica durante los cinco primeros años (*véanse* páginas 31-35).

¿Variedad antigua o reciente?

De la elección juiciosa de una variedad pueden depender el éxito total o un sinfín de problemas. Dentro de cada especie, los arboricultores han obtenido a lo largo de los siglos, mediante cruces de selección, diferencias muy marcadas en cuanto a sabor, tamaño y color de la fruta, así como en cuanto a las características del árbol: floración precoz o tardía, resistencia a una enfermedad o a unas condiciones de cultivo particulares...

Así, los campesinos de los siglos pasados crearon variedades adaptadas al suelo y al clima de su región, incluso de su pueblo.

¡En el mundo existen 7.500 variedades de manzanas! Las variedades antiguas vuelven a tener interés por su sabor, a menudo bastante pronunciado, y su rusticidad. Pero no son la solución perfecta: 'Cox's Orange', por ejemplo, una de las manzanas más apreciadas por su perfume, es sensible a las enfermedades, sobre todo en suelo arcilloso o clima húmedo. Las variedades que datan de mediados del siglo pasado se caracterizan a menudo por la productividad del árbol, el grosor de las frutas... y su carencia de sabor. Aún son abundantes en los mercados. No presentan un gran interés en el jardín, incluso aunque una 'Golden' de jardín, por ejemplo, sea incomparablemente más sabrosa que una 'Golden' de un cultivo extensivo.

Más recientemente, se han creado variedades interesantes para el jardín del aficionado que reúnen buenas cualidades: resistencia natural del árbol –lo que equivale a menos tratamientos fitosanitarios–, productividad regular, frutas apetitosas a la vista, sabrosas y jugosas... Buena parte nos llega de Estados Unidos, como lo revelan sus nombres, de sonido anglosajón.

Hay que examinar estas nuevas variedades con prudencia, porque los gustos de los americanos no siempre coinciden con los nuestros. Lo aconsejable es escoger una variedad según las necesidades que se tengan (fecha de recolección), las condiciones que se le puedan ofrecer (resistencia a un exceso de humedad, por ejemplo) y el propio gusto. Es importante probar la fruta de una variedad antes de adquirir el árbol para comprobar si es ácida, dulce, crujiente, fundente... ¡Todos tenemos nuestras preferencias!

Es necesaria una buena polinización de las flores para obtener una cosecha satisfactoria. Las flores de un árbol autofértil se polinizan entre sí.

Cuidado con los problemas de polinización

El albaricoque, el melocotonero y ciertos cerezos y ciruelos son autofértiles, es decir, que sus flores no necesitan recibir el polen de otro árbol para formar un fruto. Pero la mayoría de los perales y manzanos, así como buena parte de los cerezos y ciruelos, fructifican mal o no lo hacen en absoluto si un congénere no florece en el mismo momento y en el mismo jardín o en el de un vecino. Más vale, pues, optar por las variedades autofértiles siempre que se pueda o plantar un par de árboles compatibles.

Una variedad para cada uso

Antes de elegir una variedad, conviene pensar en el uso que se quiere dar a la fruta. Las guindas garrafales, por ejemplo, son deliciosas en sorbetes, salsas, en mermelada o en aguardiente, pero a pocos les gusta morder su carne ácida; y las mejores manzanas para comer crudas no son aquellas con las que se hacen las tartas más logradas. Las variedades de frutas que se conservan en invierno no son comestibles en el momento de la recolección: más vale escalonar los placeres.

Las variedades de manzanos

El manzano nos ofrece la mayor elección en materia de árboles frutales. Manzana dulce o ácida, crujiente o harinosa, bien roja o un poco gris, para comer cruda o para cocer, para degustar en las tres a cinco semanas siguientes a la cosecha o para guardar todo el invierno... Las variedades muy recientes son imperfectamente autofértiles; las antiguas necesitan que otro árbol que florezca al mismo tiempo las polinice.

En el momento de la cosecha, hay que distinguir las manzanas para almacenar de las que se comen en otoño.

Hay que saber: 'Golden Delicious' poliniza casi todas las variedades recientes y, al contrario, se deja polinizar por ellas; 'Reina de las Reinetas' representa el mismo papel con las variedades tradicionales.

Las variedades tradicionales para almacenar

• 'Belle de Boskoop' es muy apreciada en repostería, porque no se deshace al cocerla. Su gran fruto verde y rojo, firme, jugoso, dulce, perfumado, alcanza la madurez de diciembre a febrero. El árbol es muy vigoroso, aprecia los climas húmedos del norte y el nordeste.

• Las reinetas llamadas 'de Canadá' (en realidad, son francesas), blancas o grises, son deliciosas, muy perfumadas, pero su carne puede parecer un poco blanda (maduran de diciembre a febrero). Estas variedades prefieren la altitud o los climas duros antes que las regiones muy húmedas.

• A la 'Reina de las Reinetas' podría llamársela «reina de las manzanas». Gusta tanto para comer cruda como en repostería. La fruta, de tamaño mediano, amarilla rayada de rojo, firme y crujiente, dulce, acidulada y perfumada, no se deshace en la cocción. Se consume de octubre a enero. El cultivo tiene éxito en casi todas las regiones, mejor en formas de crecimiento libre porque esta variedad es vigorosa.

Las variedades tradicionales de otoño

• 'Transparente de Croncels' es la primera manzana «buena»: madura ya en agosto o septiembre. El grueso fruto blanco rosado oculta una carne fina, tierna, jugosa y acidulada.

Las variedades recientes para almacenar

• La norteamericana 'Golden Delicious' tiene, injustamente, mala fama. No tiene nada que ver una 'Golden' tratada industrialmente con la que ha madurado en el árbol, adorada por los aficionados, que pueden disfrutarla de noviembre a marzo. Es una de las variedades con más éxito. Existen evoluciones de esta variedad, como 'Belgolden'.

• 'Delbard Jubilé' está indicada para todos los usos. Su bonito fruto rojo y oro, no muy grande, se funde bajo la lengua desprendiendo aromas de avellana, miel y plátano (madura de noviembre a febrero o marzo). El árbol es resistente, sobre todo a la roña o moteado del manzano.

• 'Tentation' es una nueva manzana no muy espectacular (se parece a la 'Golden'), pero de perfume a flores y dulce, crujiente y jugosa. El árbol es resistente y productivo. La fruta se conserva hasta marzo si se coge en cuanto la piel se pone dorada.

Las variedades recientes de otoño

• 'Jonagold' se degusta en octubre o noviembre. La fruta, amarilla, estriada de rojo, crujiente, jugosa, dulce y un poco acidulada, es muy sabrosa. El árbol es vigoroso y productivo.

• 'Royal Gala' produce frutos no muy grandes, redondos, de carne tierna, jugosos y dulces, que desprenden un ligero perfume a anís (maduran de septiembre a diciembre). El árbol es vigoroso y productivo.

Las variedades de perales

Las variedades de peras se diferencian por su época de maduración, su capacidad para conservarse (rara vez muy larga) y por el carácter de su sabor. Algunos prefieren los sabores almizclados; otros, los aromas a flores, incluso vinosos... De carne tierna y jugosa o crujiente, a una buena pera jamás le falta carácter. Al contrario de lo que ocurre con las manzanas y las demás frutas, la gran mayoría de las variedades propuestas

Las peras de verano y otoño deben consumirse rápidamente; las de invierno terminan de madurar después de la recolección.

y productivo, el árbol prospera en casi todas las regiones.

Las peras de otoño

• 'Buena Luisa de Avranches' es una de las peras más perfumadas. Su fruto, amarillo y rojo, de tamaño medio, posee una carne fina, fundente, dulce, muy jugosa (madura en septiembre-octubre). El árbol es algo sensible a la roña del peral. La fruta sin recoger del árbol se pasa rápidamente.

• 'Mantecosa Hardy' madura en septiembre-octubre. Es una fruta bronceada, dulce, fina y fundente, perfumada. El árbol prefiere un suelo no demasiado pesado, pero es resistente a la roña del peral.

• 'Conferencia', la pera de octubre de característica forma alargada, presenta una carne fina, jugosa, fundente y dulce, ligeramente más acidulada que la de las demás peras. El árbol resiste a la roña del peral y aprecia las regiones marítimas, o en todo caso, la mitad norte.

Las peras de invierno

• 'Comice' está considerada por muchos como la mejor pera. Estos frutos maduran en octubre-noviembre y se conservan hasta Navidad. Grandes o muy grandes, esconden bajo la piel amarilla y roja una carne fina, azucarada, perfumada, fundente y jugosa.

para las peras son de origen francés y tradicionales.

Hay que saber: tres variedades se distinguen por igual como las polinizadoras más eficaces para las demás variedades: 'Williams', 'Conferencia' y 'Comice'.

Las peras de verano

• 'Jules Guyot' (limonera) es una pera de color verde claro, bastante grande, que madura desde julio o agosto y se conserva durante varias semanas. Su carne fina, jugosa, bastante dulce, es de buena calidad. El árbol es autofértil.

• 'William' (o 'Buen cristiano William') produce un fruto bastante grande, amarillo punteado de manchas rojizas. Madura de agosto a septiembre y se debe comer inmediatamente. Su fina carne es jugosa y almizcleña. Existe una versión roja. Vigoroso

La cereza 'Belle Magnifique' es particularmente sabrosa.

Las *guindas* amargas, muy ácidas, también se destinan a la cocción. El árbol florece tarde (se cosecha en agosto) y puede cultivarse en clima frío o en montaña hasta 100 m de altitud. Las garrafales y mollares son autofértiles.

Las gruesas *gordales,* de carne firme y crujiente, dulce, se pueden ver en los mercados en la temporada de las cerezas. Estas variedades presentan el inconveniente de no ser autofértiles. A pesar de todo, son las más apreciadas.

Las verdaderas *cerezas* merecerían ser más conocidas. Son perfectamente autofértiles. Su carne es menos crujiente que la de las gordales, pero jugosa, de gusto a la vez dulce y acidulado. Las mejores variedades gustan a todos.

Esta variedad es tanto más preciosa cuanto que su rival, 'Passa Crassana', no puede multiplicarse a causa de su sensibilidad al fuego bacteriano.

• 'Delbard de invierno' es una de las rarísimas peras que se pueden degustar de diciembre a marzo. Su fruta redonda, de color bronceado, sorprende con una carne fina, jugosa y firme que recuerda a la añorada 'Passa Crassana'. El árbol es autofértil.

Las variedades de cerezos

Las variedades de cerezas se agrupan según que pertenezcan al cerezo silvestre o dulce (mollar y garrafal), o al guindo, llamado todavía «cerezo ácido» (guindas y cerezas verdaderas).

Las *guindas* marascas, negras, pequeñas, de carne blanda pero perfumada, se utilizan para preparar sorbetes, tartas o para hacer licores... No se consumen tal cual.

Las verdaderas cerezas florecen tarde y, por lo tanto, son ideales para cultivar en regiones de primaveras suaves.

• 'Montmorency', jugosa, acidulada, aunque no demasiado, se cosecha de principios a mediados de julio. Muy utilizada para preparar conservas, esta variedad existe en versión «árbol llorón», de porte original y elegante.

• 'Belle Magnifique', de floración muy tardía (mediados de abril en el norte) llega a la maduración a finales de julio. Grande, en forma de corazón, a la vez crujiente, fina y fundente, perfumada y azucarada, es una cereza ideal. El árbol, no demasiado vigoroso, produce regularmente.

• 'Alegría Delbard', de floración tardía, produce en julio frutos jugosos, sabrosos, que aguantan bastante en el árbol.

Las gordales, muy agradables de morder, son, sin duda, las cerezas más sabrosas, pero los árboles florecen bastante pronto. Se debe escoger una variedad que florezca al mismo tiempo que la del vecino, o plantar dos árboles compatibles, porque no son autofértiles.

Para gran satisfacción de sus adeptos, la cereza gordal 'Napoleón' atrae menos a los pájaros que las cerezas rojas.

• 'Marmotte' produce los frutos más grandes; maduros en el mes de junio o julio, de un bello color rojo brillante, de carne firme y crujiente, azucarada y acidulada a la vez.

• 'Temprana Burlat' produce frutos tan gruesos como deliciosos, de color oscuro, tiernos a la vez que firmes, muy dulces, maduros desde junio, incluso desde finales de mayo.

• 'Napoleón' es una variedad sorprendente que cuenta con fervientes adeptos. Su fruto amarillo, manchado de rosa, es firme y crujiente, dulce a pesar de su color claro (madura a mediados de julio).

• 'Castañera' o 'Reverchon' madura entre mediados de junio y mediados de julio. La cereza, grande, en forma de corazón, es muy firme, crujiente y dulce, pero tiene un sabor fuerte.

• 'Hedelfingen', de floración un poco más tardía que la variedad precedente, produce en julio grandes frutos oscuros, crujientes, jugosos y dulces que son muy apreciados.

Estas cinco variedades se polinizan entre sí.

Las cerezas para cocinar

La variedad 'Early Rivers', autofértil, produce un fruto muy jugoso y dulce. El árbol adquiere de manera natural un bello porte llorón, como el garrafal 'Griotella', que ofrece la ventaja de quedarse pequeño (se cosecha en julio).

Las variedades de ciruelos

Cada variedad de ciruela tiene sus admiradores, que defienden con vehemencia que, sin duda, es la mejor. Pero todas re-

Las quetsches son ciruelas muy fáciles de obtener; se comen tanto crudas como cocinadas.

La mirabel es una ciruela muy apreciada.

quieren condiciones particulares para dar lo mejor de sí.

Las *quetsches,* parientes de la ciruela silvestre pese a su gran tamaño, aceptan las tierras pesadas y el clima continental duro. Los árboles no demandan ningún cuidado y son autofértiles.

Las *claudias* son redondas, siempre algo verdes, incluso muy maduras, con reflejos dorados. Necesitan un verano seco y cálido, sin el cual resisten mal las enfermedades. Hacen falta dos árboles diferentes para lograr una buena polinización.

A las *mirabel,* autofértiles, les gustan los terrenos calcáreos y los veranos soleados. Son tradicionales en el este de España, Sevilla, Córdoba, Aragón y La Rioja. Las nuevas variedades japonesas deben plantarse en regiones de clima suave porque florecen antes. A menudo, su sabor es bastante insípido.

Las quetsches

La principal variedad es 'Quetsche de Alsacia', de color morado, carne verde, a la vez muy dulce y acidulada, firme y poco jugosa. Se cosecha en septiembre un poco arrugada para elaborar tartas o para la cesta de la fruta.

Las claudias

Sin lugar a dudas, la mejor es la 'Claudia Dorada', que madura entre finales de julio y finales de agosto. Son famosos su sabor de miel y su carne jugosa, excelentes en tartas y mermeladas... El árbol no es autofértil, sin embargo, puede ser polinizado por otra claudia o por la 'Ciruela de Ente'. Lo más interesante es asociarla en el jardín con la 'Mirabel'.

'Claudia Verde' también es deliciosa si se coge completamente madura, y es incomparable en tartas.

Las mirabel

'Mirabel de Nancy', más gruesa que 'Mirabel de Metz', madura entre principios de agosto y principios de septiembre. Perfumada y dulce, es muy apreciada en repostería y para mermeladas. El árbol es autofértil.

Las otras ciruelas

• La 'Ciruela de Ente' (o 'Ciruela de Agen') se utiliza sobre todo seca, pero la fruta fresca es jugosa y dulce. El árbol es autofértil.

• 'Victoria' alcanza la madurez en agosto o principios de septiembre. Sus grandes frutos amarillos con matices rojos tienen un sabor bastante agradable. El árbol es autofértil y productivo. Soporta las tierras pesadas.

• 'Thames Cross' madura en septiembre. Las gruesas ciruelas rojas y doradas son azucaradas, jugosas y bastante aromáticas. La floración es bastante tardía. El árbol es autofértil.

Las variedades de melocotoneros

La fecha de floración distingue las variedades de melocotones. Cuanto más tarde florecen, menos peligro corren de sufrir heladas que comprometan la cosecha. También difieren los sabores y colores. La maduración se escalona de finales de junio (para las regiones muy cálidas) a septiembre, lo que permite degustarlos durante uno o dos meses. Hay que aclarar que las nectarinas y los griñones botánicamente son melocotoneros *(Prunus persica)* cuya fruta tiene la piel lisa. Las nectarinas tienen el hueso libre, al contrario que los griñones. No se aconseja cultivar estos árboles en zonas muy frías porque son aún más precoces, exigentes y sensibles a las enfermedades que los melocotoneros.

La elección de la variedad de melocotonero debe hacerse ante todo en función del clima.

Los melocotones para conserva

Los melocotones se estropean rápidamente. Si le gustan las frutas en almíbar, escoja, sin duda, este método de conservación *(véase página 74)*. Hay que tener en cuenta un pequeño detalle en el momento de pelar y cortar en dos los melocotones: ¿cómo está el hueso, desprendido o adherido a la carne? Puede encontrarse con los dos casos, depende de las variedades. De hueso desprendido son 'Grosse Mignonne', 'Reine des Vergers' y 'Amsden'.

• 'Amsden' es una vieja variedad de carne blanca que madura desde principios de julio. Se cultiva en el Mediodía mediterráneo. Es la primera de la temporada, por eso se le perdona que sea tan poco aromática, aunque su carne es fina. El árbol resiste bien las enfermedades.

• 'Grosse Mignonne' es una variedad de media estación, madura de mediados de julio a mediados de agosto. Es muy rústica y de floración bastante tardía. Su carne blanca es perfumada, jugosa, fundente. El árbol resiste bien las enfermedades.

• 'Velvet', de floración bastante tardía, alcanza la madurez de finales de julio a mediados de agosto. Su carne amarilla es dulce, con un gusto almizclado. En regiones de clima húmedo, el árbol es sensible a la abolladura.

• 'Saturne', el famoso melocotón plano venido de China, es original y suele gustar a los niños por su perfume meloso y su sabor suave y azucarado. Su carne es poco jugosa.

• 'Reine des Vergers' es una variedad clásica resistente a las enfermedades y también

una de las más tardías. Su gran fruto, maduro a finales de agosto o principios de septiembre, posee una carne blanca y azucarada, jugosa y fina.

• 'Sanguine de Savoie', una mejora reciente del famoso melocotón de viña, presenta una carne de color rojo oscuro, muy firme, muy sabrosa, con perfume de violeta. Madura a partir de mediados de septiembre. El árbol es rústico.

Las nectarinas

• 'Fantasía' madura en agosto. Esta nectarina de carne amarilla no florece muy pronto. El fruto es jugoso, firme y sabroso, pero puede reventarse con las tormentas.

Las variedades de albaricoqueros

El sabor de la fruta y la fecha de floración son los principales criterios que diferencian las variedades de albaricoques. En las zonas más al norte, es indispensable elegir una variedad de floración tardía. Fuera de la cuenca mediterránea, también conviene tomar esta precaución.

La calidad del perfume depende de las horas de sol recibidas. Hay que tener en cuenta que un albaricoque jugoso es más agradable de comer crudo, pero queda peor en conserva o mermelada.

Las variedades precoces

• 'Canino' es un albaricoque muy grande, muy dulce, jugoso y firme que se cosecha a finales de junio y principios de julio. El árbol es productivo y resistente a las enfermedades.

El albaricoquero 'Melocotón de Nancy' es particularmente resistente.

mermeladas. El árbol es vigoroso y productivo en los terrenos no demasiado secos.

Las variedades tardías

- 'Luizet' puede cultivarse en las regiones de clima templado. Esta vieja variedad produce entre finales de junio y finales de julio frutos muy grandes, dulces, firmes, de sabor agradable. El árbol es rústico.
- 'Polonais' madura desde julio. Este albaricoque grande, jugoso y dulce es producido en abundancia por un árbol vigoroso.
- 'Melocotón de Nancy', uno de los últimos albaricoqueros en florecer, es una variedad muy resistente. Sus frutos, que se recolectan desde finales de julio hasta mediados de agosto, son muy grandes, finos y deliciosamente aromáticos.
- 'Rouge tardif Delbard', de floración muy tardía, se aconseja para regiones más al norte. Da grandes frutos jugosos y perfumados.

- 'Rouge du Roussillon', reservado a la zona mediterránea, es un albaricoque perfumado, jugoso y dulce que madura desde principios de julio.
- 'Bergeron' se cosecha de principios de julio a principios de agosto. Su fruto, firme y muy aromático, es perfecto para preparar

Las variedades de mejor resultado

	Variedad	Floración	Madurez de la fruta	Calidad de la fruta	Cualidades del árbol
ALBARICOQUERO	'Rouge tardif Delbard'	Fin III	VIII	Grande, jugosa, perfumada.	Aconsejado en el Norte.
	'Melocotón de Nancy'	Fin III	Fin VII a mediados VIII	Muy grande, fina, perfumada.	Aconsejado en el Norte.
	'Canino'	Fin II	Fin VI a comienzos VII	Muy grande, dulce, jugosa, firme.	Resistente a las enfermedades. Sólo en zonas cálidas.
CEREZO	'Belle Magnifique'	IV	Mediados VII	Crujiente, fina, dulce, perfumada.	Autofértil, no muy grande. Todas las regiones.
	'Hedelfingen'	III-IV	VII	Grande, crujiente, dulce, jugosa.	Excelente gordal.
	'Temprana Burlat'	III	VI	Grande, dulce, firme, crujiente.	Productivo.
MELOCOTONERO	'Amsden'	II-III	Comienzo VII	Fina, jugosa.	Resistente a la abolladura.
	'Reine des Vergers'	III	VIII-IX	Dulce, jugosa, fina.	Resistente a la abolladura.
	'Sanguine de Savoie'	Fin III	IX	Muy perfumada, firme.	Árbol rústico. Para el Norte.
PERAL	'Williams'	III-IV	VIII-IX	Fundente, jugosa, gusto almizclado.	Todas las regiones.
	'Conferencia'	IV	X	Jugosa, dulce, fundente, aromática.	Resistente al moteado o roña.
	'Mantecosa Hardy'	IV	IX-X	Dulce, fina, fundente, perfumada.	Resistente al moteado o roña.
	'Delbard de invierno'	IV	XII a III	Jugosa y firme, pero fina.	Autofértil.
MANZANO	'Transparente de Croncels'	IV-V	VIII-IX	Fina, tierna, jugosa, aromática.	Resistente. Zonas frías.
	'Bella de Boskoop'	IV-V	XII a II	Firme, jugosa, dulce, perfumada.	Para climas fríos.
	'Reina de las Reinetas'	IV-V	X a I	Crujiente, firme, dulce y acidulada, aromática.	Norte de España.
	'Golden Delicious'	IV	XI a III	Tierna, dulce, jugosa, fina.	Aprecia climas suaves.
	'Delbard Jubilé'	IV-V	XI a II-III	Bella, aromática, fundente.	Resistente al moteado o roña.
CIRUELO	'Mirabel de Nancy'	III-IV	VIII-IX	Perfumada, dulce.	Autofértil. Climas continentales.
	'Quetsche'	III-IV	IX	Firme, dulce, acidulada.	Autofértil. Todas las regiones.
	'Thames Cross'	Fin III	IX	Bella, dulce, jugosa.	Autofértil. Para el Sur.

La elección de la forma

La elección de la forma del árbol es tan importante como la elección de la especie o la variedad. Depende del espacio disponible, del lugar donde se vaya a plantar el frutal y del modo de cosecha que se desee.

Las formas de crecimiento libre

A menudo desechadas porque ocupan mucho sitio –y es verdad que la altura de los árboles adultos puede plantear problemas a la hora de aplicar los tratamientos y de cosechar–, los frutales de crecimiento libre, sin embargo, son muy interesantes para el dueño de un jardín, aunque sea pequeño. Son los únicos que adoptan el aspecto de «verdadero árbol», es decir, un tronco coronado por un bello ramaje. Grandes, espectaculares y de mantenimiento sencillo, las formas de crecimiento libre no requieren poda y crecen perfectamente en medio del césped. Pero en lugar de escoger un pruno o un sauce llorón, ¿por qué no unir lo útil a lo agradable y plantar frutales, por ejemplo, un manzano, un ciruelo o un cerezo?

Un albaricoquero, un peral o un manzano de crecimiento libre dan hasta 50 kilos de fruta; un cerezo o un melocotonero, «solamente» de 25 a 30 kilos.

(1) Pie alto: tronco de 1,80 a 2 m de altura.

La forma del árbol frutal se elige según el sitio de que se disponga; aquí, un viejo manzano formado en pie medio.

Soberbio el pie alto (1)

(Véase ilustración página 31.)

El pie alto es la forma de aspecto más natural. Apenas necesita poda. Se trata de un tronco de 1,80 a 2 m de altura coronado por un amplio ramaje. Se puede circular cómodamente por debajo y tampoco estorba a la máquina cortacésped. Su sombra puede hacer más agradable una terraza o un rincón de descanso. El pie alto corresponde a una superficie de 10 a 20 m² en el suelo.

Los árboles de pie alto tradicionalmente poblaban las praderas, lejos del alcance de las ovejas o las vacas que pastaban allí. Por comodidad a la hora de cosechar y de cuidar los árboles, los huertos profesionales o semiprofesionales prefieren formas más bajas, que a menudo se pueden plantar más juntas. En efecto, entre dos ejemplares de tallo alto hay que dejar unos 10 m.

Estos árboles se injertan en dos puntos: en el cuello (al pie) y luego arriba del tronco (en la cabeza), para que este último conserve una forma y una rigidez perfectas. Hay que observar que el melocotonero rara vez está disponible en pie alto.

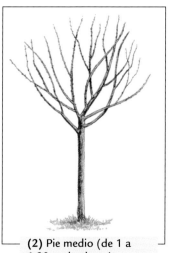

(2) Pie medio (de 1 a 1,30 m de altura) con un importante ramaje.

Un buen compromiso: el pie medio (2)

El pie medio posee un tronco reducido a 1 o 1,30 m de altura, coronado por un ramaje tan importante como el del pie alto. Su silueta, simple, rechoncha y redonda, le confiere una gran elegancia. La gran ventaja de esta forma es que nos permite cosechar la fruta sin hacer muchas acrobacias. Pero, paradójicamente, este tronco más corto molesta más que el pie alto porque no se puede circular o sentarse debajo. Todas las especies frutales están disponibles en tronco medio.

Las formas pequeñas

Cada vez se aprecian más en los jardines esas formas pequeñas, obtenidas gracias a la conjunción de dos factores: una poda de formación (durante dos o tres años) que modele una silueta poco invasora y la utilización de un portainjerto poco vigoroso que impida a una misma variedad desarrollarse tanto como su hermana de crecimiento libre. Con los troncos a ras del suelo, o casi, se facilita mucho la recogida de la fruta y los tratamientos, pero no la circulación de las personas, pues las ramas están muy bajas.

Armonioso: el vaso (3)

Con bellas y largas ramas ligeramente abiertas, repartidas en círculo alrededor de un tronco de unos 50 cm de altura, el vaso posee un encanto seguro. Debe formarlo con mucho cuidado un profesional competente durante dos o (mejor) tres años. Después requiere una poda sencilla, pero vigilada, consistente en impedir a los nuevos ramos que ocupen el interior del ramaje.

(3) Vaso: tronco de 50 cm de altura. Ramas largas y un poco abiertas.

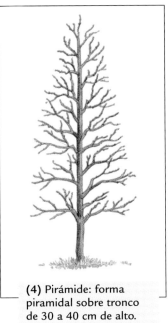

(4) Pirámide: forma piramidal sobre tronco de 30 a 40 cm de alto.

La mayoría de las especies puede conducirse en pirámide, pero, sin duda, es el peral el que se presta mejor a esta forma. Una pirámide no ocupa en el suelo más que el equivalente a 4 o 5 m². Sus frutos son accesibles con una escalera alta.

Las formas en espaldera

Los árboles en espaldera vuelven a estar de moda. Se conducen por un solo plano, de ahí su sobrenombre de «formas planas». Los árboles frutales en espaldera a menudo se apoyan en un muro, pero también en simples alambres tensados entre estacas. Con esta forma los árboles pueden constituir bellas separaciones en huertas o jardines de líneas geométricas.

El árbol es menos ancho y alto que en la forma de crecimiento libre, pero ocupa el espacio desde abajo y por ello puede estorbar el paso o perturbar la armonía de los árboles ornamentales vecinos. Esta forma es ideal para ocupar un rincón o un fondo de césped. Hay que dejar de 5 a 6 m entre dos árboles formados de esta manera.

Fina y elegante, la pirámide (4)

El tronco de la pirámide está despejado en 30 o 40 cm de altura. Después lleva ramas escalonadas en forma de pirámide. Aunque un poco rígida, esta forma resulta elegante, sobre todo en el momento de la floración. La pirámide se integra bien en las zonas de césped o incluso en los macizos de arbustos.

Las formas planas rara vez sobrepasan los 2 m de altura. Si tiene poco espacio y le gustan los jardines estructurados, cultive una o incluso varias formas en espaldera. Es verdad que requieren una poda meticulosa y cuidados continuos, pero nada insuperable... sobre todo porque ni para cosechar ni para cuidar el árbol hace falta una escalera. Estas formas reciben el sol ideal, siempre que estén expuestas al sureste o al suroeste. Es una manera astuta de lograr melocotones y albaricoques fuera de las zonas cálidas, aunque la producción sea modesta (de 5 a

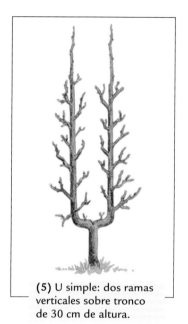

(5) U simple: dos ramas verticales sobre tronco de 30 cm de altura.

Ejemplo de frutal en espaldera. Apoyado en un muro bien expuesto, el melocotonero prospera perfectamente.

15 kilos por árbol). Hay multitud de formas tradicionales salidas de la imaginación de jardineros virtuosos, pero sólo tres no requieren conocimientos especiales.

La palmeta en «U» simple o doble (5)

La «U» simple presenta dos ramas que forman ángulo recto sobre un tronco de unos 30 cm antes de erguirse para seguir una dirección vertical. En caso de «U» doble, se poda cada rama para formar una nueva «U». Así, el árbol tendrá cuatro ramas paralelas y verticales. La palmeta Verrier también se compone de cuatro ramas verticales; pero en este caso es la base de una tercera rama central (en el eje del tronco) la que se ha ramificado. Por tanto, no tiene dos «U» simétricas, sino una pequeña dentro de otra grande. Estas formas se usan sobre todo para los manzanos y los perales. Son clásicas, elegantes, pero caras. Los árboles deben separarse de 1,50 a 2 m.

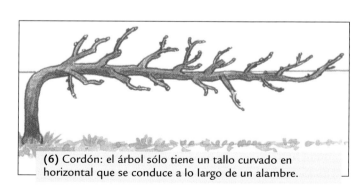

(6) Cordón: el árbol sólo tiene un tallo curvado en horizontal que se conduce a lo largo de un alambre.

El cordón es una forma en espaldera muy particular y estética: los manzanos en cordón se convierten con la edad en ejemplares muy atractivos.

El cordón horizontal (6)

Reservada a los manzanos, esta forma de poco vigor consiste en curvar el tallo principal para que crezca en paralelo al suelo a unos 40 o 50 cm de altura. Es una forma poco productiva, pero muy agradable al borde de un gran camino.

La palmeta oblicua

El tronco lleva dos brazos principales inclinados a 45° con respecto a la horizontal, de los que parten ramos dirigidos en todos los sentidos. El árbol adulto presenta una forma de abanico. Su ramaje ocupa el espacio regularmente. Usada en los muros para los melocotoneros y albaricoqueros en las regiones poco propicias a su cultivo, esta palmeta demanda cuidados continuos para permanecer elegante y productiva.

Las formas enanas

No hay que confundir los frutales enanos con las formas columnares de poca longevidad que dan manzanas desde el primer año de plantación sobre un tronco desprovisto de ramas... Los verdaderos frutales enanos son variedades trabajadas para un desarrollo muy débil, carácter acentuado por la utilización de un portainjerto «enanizante». No se trata sólo, pues, de una forma obtenida con la poda, sino de un carácter genético.

Estas variedades atraen a quienes no tienen más que un balcón o una terraza, ya que pueden vivir en un tiesto grande (50 cm de diámetro). En el jardín, su interés es anecdótico –con sus frutos apenas podrá hacer una tarta familiar–, pero la floración es abundante, sobre todo en los melocotoneros, que son los más adecuados para este uso.

Comprar un árbol frutal

Aunque estemos habituados a visitar los viveros y centros de jardinería, a menudo nos quedamos perplejos a la hora de comprar. ¿Cuál es el mejor momento para adquirir un frutal? ¿Podemos fiarnos de los catálogos de venta por correo? ¿Qué es un plantón?... Estas preguntas se merecen que reflexionemos a fondo.

¿Otoño o primavera?

Desde hace mucho tiempo, podemos encontrar especies que pueden plantarse en cualquier estación. Cultivadas en contenedor, pueden ponerse en tierra durante la etapa de pleno crecimiento, independientemente del tiempo que haga...

Pero los frutales sufren más que los demás árboles y arbustos si se trasplantan en el momento de plena actividad. Se muestran más sensibles al frío y al calor, así como a la sequía. Además, corren el peligro de arraigar con más lentitud, de ser menos resistentes frente a las plagas y las enfermedades y, por último, de fructificar con dificultad. La tradición indica, y con razón, que hay que plantar los árboles de hoja caduca (de los que forman parte las especies frutales de nuestras regiones) durante el periodo de latencia, es decir, entre noviembre y marzo.

Lo ideal es comprar y plantar del 20 de octubre hasta finales de noviembre. En ese momento, los árboles jóvenes están en reposo. Pasarán el invierno arraigando tranquilamente en una tierra aún tibia y serán autónomos a partir de la primavera siguiente.

Además, los árboles en ese periodo ofrecen todas las garantías. El abanico de posibilidades está en pleno apogeo.

Por santa Catalina...
El conocido dicho «Por santa Catalina, todo árbol enraíza» aconseja dejar estas compras y plantaciones para el otoño. Señala la fecha del 25 de noviembre como el momento más adecuado. Pero todo depende de la temperatura ambiental, variable de un año a otro y de una región a otra.

Comprar un frutal joven en un proveedor fiable y plantarlo en la época idónea es garantía de éxito. Así se tendrá la seguridad de conservar el árbol durante muchos años.

En las regiones de clima suave, se puede plantar en pleno invierno. Pero es posible que los árboles lleven esperando demasiado tiempo en el centro de venta. Si la tierra está endurecida por el hielo, deberán esperar todavía un poco más en una zanja, envueltos en paja húmeda.

Las plantaciones de marzo plantean un problema de agotamiento. Florecer, abrirse las hojas, arraigar y soportar los primeros calores... ¡es demasiado trabajo para hacerlo de una sola vez!

En este caso, no tendrá más remedio que regar de modo copioso y regular durante toda la primavera.

Dónde comprar

El árbol ideal se ha cultivado en la propia región. Desde su edad más tierna, está habituado al tipo de suelo y al clima que caracterizan a la comarca. Inviernos fríos o húmedos, primaveras secas o demasiado lluviosas... sea cual fuere el problema, el árbol se endurecerá y no tendrá que adaptarse súbitamente a condiciones adversas. Además, como es lógico, habrá sido injertado en un portainjerto acostumbrado a esas condiciones. El comportamiento de un árbol, en efecto, puede variar en función del patrón utilizado (*véase* página 41). Si no se encuentra cerca el frutal soñado, debe com-

La compra de un frutal es una inversión a largo plazo. Por eso, hay que aprender a reconocer un buen ejemplar y tomarse un tiempo a la hora de escogerlo antes de lanzarse a comprar.

prarse un árbol joven cultivado en una región de clima más duro.

El vivero local

Es el mejor lugar de compra. Con un poco de suerte, habrán decidido cultivar variedades regionales bien adaptadas. Conviene recurrir a esta solución siempre que se pueda.

El centro de jardinería

Ofrece árboles de distintas procedencias que el cliente debe identificar preguntando a los responsables. Por lo general, la elección es buena, sobre todo en lo concerniente a las formas y variedades.

La venta por correo

Ofrece la ventaja de suministrar a las regiones más aisladas. Se hace el pedido en cuanto se recibe el catálogo de otoño. El árbol se entregará embalado en paja y cartón a lo largo de noviembre. No hay que dudar en devolver contra reembolso los ejemplares que no estén en buenas condiciones. La mayoría de los árboles frutales cultivados para venta por correo en España crecen en la zona mediterránea y también en Sevilla, Badajoz, Logroño, Ciudad Real y Guadalajara. Los que vienen de Holanda, por ejemplo, están habituados a un clima más frío, pero menos continental (menos extremo).

Reconocer un buen ejemplar

Plantar en otoño no sólo garantiza el éxito; también es la forma de ahorrar un poco. Las plantas que se adquieren en la época de su desarrollo vegetativo (obligatoriamente vendidas en contenedor) son más seductoras con todas sus hojas, flores o frutos..., pero también son muy caras. En otoño, después de que las hojas se han caído y ha bajado la savia, los árboles jóvenes en reposo soportan bien que les arranquen y les dejen durante una o dos semanas tal cual, con las raíces al aire.

Estos árboles «a raíz desnuda», más ligeros de transportar y que ocupan menos espacio para almacenarlos, suelen ser más baratos, aunque el coste del arrancado puede influir en el precio final. Y si flores, hojas y frutos son «invisibles», no se preocupe, siempre que esté comprando durante la época de reposo vegetativo.

Hay que saber que los frutales a raíz desnuda agarran igual de bien que los árboles en cepellón o en contenedor, a condición de que se hayan almacenado en buenas condiciones y durante un periodo de tiempo razonable.

Los árboles de formas complicadas, como este manzano en cordón, son más caros.

Si se opta por un árbol a raíz desnuda, hay que controlar las raíces, que deben estar frescas y sin heridas.

Observar la silueta y las raíces

Hay que aprender a distinguir una compra buena de una mala: un poco de atención permite reconocer los frutales de buena calidad. El precio no debe ser muy bajo. Un plantón es más económico; por una palmeta tendremos que pagar un poco más. Cultivados cuidadosamente, los ejemplares en palmeta han pasado varios años en el vivero y han necesitado una paciente labor de formación. Los precios más elevados corresponden a las formas complejas (doble U, Verrier), porque han requerido la intervención frecuente de mano de obra cualificada. Más vale evitar las promociones atractivas y las ventas precipitadas; no se fíe de las gangas.

¿Cómo se reconoce un árbol cultivado con esmero? Por sus ramas rechonchas bien fornidas y repartidas armoniosamente alrededor del tronco. Si

Un árbol bien formado desde el principio por un profesional tendrá un crecimiento armonioso.

el árbol, en su edad joven, ha sido poco o mal podado, no presentará más que una o dos ramas fuertes, demasiado alargadas, flanqueadas por ramos enclenques. Si ha sido plantado en hileras demasiado juntas, no habrá crecido bien más que de un lado: el de la luz; por este motivo, le costará mucho trabajo equilibrar su silueta.

También cuenta mucho el cuidado con que se haya arrancado el árbol.

No acepte ramas ni raíces aplastadas o rotas. El sistema radicular debe ser importante y ha de estar bien ramificado, con raicillas. Raíces y ramos han de ser flexibles, no frágiles, y deben presentar cortes limpios. Una madera demasiado parda y seca significa que el árbol ha estado mucho tiempo, o en

malas condiciones, en el lugar de venta. La presencia de hojitas o brotes hinchados es la prueba de que la planta en reposo se ha despertado a causa de una temperatura alta. En estas condiciones, el árbol estará debilitado, le costará trabajo agarrar y producirá uno a dos años más tarde que otro.

¿Árbol joven formado o plantón?
¿Qué es un plantón?

Un plantón es un árbol joven cuyo injerto tiene como mucho dieciocho meses. Por lo general, se presenta como un tronco pequeño muy fino y sin ramificar todavía. No ha desarrollado ramas, sino ramillas irregularmente repartidas a lo largo de ese pequeño tronco. No es habitual que el plantón se plante y se deje crecer tal cual, pues se corre el riesgo de que su crecimiento sea anárquico y dé un árbol mal proporcionado, que ocupe mucho espacio y que no fructifique antes de 10 años.

El trabajo de formación

Los plantones deben podarse con precisión durante los tres primeros años después de plantarlos (*véase* página 50). Estas intervenciones permiten elegir las ramas que se convertirán en el armazón del árbol. Los cortes deben favorecer la ramificación, teniendo cuidado de dejar ramas maestras, incluso de orientar las ramas para ir construyendo una palmeta.

Es fundamental que deje este delicado trabajo a los profesionales y que compre árboles jóvenes ya formados.

Saber lo que se compra

Aunque comprar un árbol ya formado representa una inversión un poco superior a la media (¿no se compra un árbol frutal «para toda la vida»?), también es cierto que después nos evitará muchos problemas. No habrá más que asegurarle una poda de mantenimiento bastante simple (*véase* página 51). Además, empezará a producir frutos antes.

Los vasos destinados a los jardines pequeños (forma de pirámide invertida) ya han pasado por dos a tres años de formación (*véase* página 33). Ocurre lo mismo con los pies altos y los pies medios, esas formas de crecimiento libre apreciadas en los grandes espacios (*véase* página 32). Las formas planas tradicionales –palmetas, «U» y cordones– han recibido cuidados durante 3 a 5 años (*véase* página 34). También se encuentran en el comercio formas intermedias, como el resalvo, que tiene dos años pero no está realmente formado.

Hay que exigir en los viveros una información precisa respecto a este tema. En los centros de jardinería, el nombre de la forma debe estar indicado en la etiqueta junto al de la variedad. En los catálogos de venta por correspondencia serios, se puede elegir entre varias formas a diferentes precios. Las formas de crecimiento libre, además, se clasifican según la circunferencia del tronco tomada a un metro del suelo. Así, un árbol de 10/12 tiene un tronco que mide de 10 a 12 cm de circunferencia.

Atención al portainjerto

Las variedades de frutales proceden de numerosos cruces. Las leyes de la genética no permiten obtener, a partir de una pepita o de un hueso, árboles y frutos cuyas características sean similares a las de la variedad de la que salió la semilla. Para multiplicar los frutales, los profesionales injertan ramos

En los viveros utilizan portainjertos diferentes según el terreno y la forma deseada.

Es robusto, pero no daría más que frutos semisilvestres.

En ocasiones se puede escoger entre varios patrones para la misma variedad. En efecto, algunas particularidades del terreno exigen la elección de un portainjerto adaptado. Además, el portainjerto condiciona también el tamaño del árbol adulto: las formas pequeñas de peral se injertan sobre membrillero, mientras que las formas de crecimiento libre (pie alto o medio) se injertan en peral de siembra (peral franco). De la misma manera, los cerezos para jardines pequeños se injertan en el cerezo 'Santa Lucía' y los demás en el cerezo silvestre, árbol de gran desarrollo.

de una variedad determinada sobre la cepa de otro árbol. Este último, llamado portainjerto o patrón, se obtiene por siembra.

Plantar un árbol frutal

Del cuidado que se dispense a esta operación depende el buen agarre del árbol, pero también su futuro desarrollo y su productividad. La elección del emplazamiento, del hoyo de plantación y el aporte de enmiendas adaptadas son tres pasos esenciales.

Escoger el emplazamiento idóneo

La salud, la belleza y la producción de un frutal dependen en buena medida del lugar de plantación que se haya escogido. Hay que pensar en las necesidades del árbol, por supuesto, pero también en nuestra propia conveniencia. De adulto, el árbol no debe entorpecer el paso ni la vista y su silueta puede combinar de maravilla con un macizo de flores o de arbustos pequeños.

Nada impide tampoco dejarle destacar en medio del césped, en lugar de una especie puramente ornamental. Un árbol adulto puede asociarse con vivaces ornamentales, bulbos (narcisos...), arbustos pequeños...

También puede colocarse en una pradera o en el césped. Pero durante el crecimiento, es imprescindible mantener limpio el terreno al pie del tronco. Por otra parte, podríamos caer en la tentación de cultivar verduras alrededor de un frutal, pero no es buena idea, pues la sombra del árbol entorpecería el desarrollo de las hortalizas; si aun así decide hacerlo, evite sobre todo los ciruelos y cerezos de raíces superficiales que impiden trabajar el terreno a su alrededor.

Sol y aire

Un árbol frutal no dará nunca resultados satisfactorios a la sombra o a media sombra. Debe recibir pleno sol durante la mayor parte del día, y esto desde la floración (cuidado con las sombras proyectadas más largas a media temporada que en verano).

Aunque no aprecia las corrientes de aire frío, sobre todo en el caso de los melocotoneros y albaricoqueros, un árbol frutal necesita aire para mantenerse sano. No lo plante en lugares muy poblados, propicios para el desarrollo del mal blanco o cenizo (oídio), el moteado o roña, los pulgones y los ácaros.

Antes de plantar el árbol, es preciso calcular el desarrollo que tendrá cuando se haga adulto. Los cerezos, concretamente, se hacen muy grandes.

Lo ideal es buscar una situación que ofrezca una pantalla (muro o seto) frente a los vientos del noroeste o del este, que son los más fríos. Los vientos del oeste y el suroeste pueden ser fuertes, pero traen humedad y suavidad, no heladas. Para los albaricoqueros y melocotoneros en espaldera, hay que elegir un muro expuesto al sur o al suroeste para que se beneficien del calor.

Algunos errores que se deben evitar

• Un árbol expuesto al este corre el riesgo de ver su floración «quemada» en primavera por la brusca alternancia de hielo y deshielo del amanecer.

• No se debe plantar un árbol frutal joven en el lugar exacto que ocupaba otro árbol que se haya arrancado, incluso aunque se cambie la tierra. Si no hay más remedio, se planta una especie de pepitas tras una especie de hueso y viceversa.

• No hay que plantar el frutal demasiado cerca de otros árboles y arbustos o de un muro. Se debe dejar un espacio de 30 cm entre el tronco de las formas en espaldera y su muro de apoyo. Se plantan en diagonal.

El hoyo de plantación

Plantar un árbol no lleva más de una hora, a veces menos. Sin embargo, esta simple tarea tendrá consecuencias durante décadas, puesto que los árboles frutales viven lo suficiente para que podamos legarlos a nuestros hijos, e incluso a nuestros nietos.

La plantación condiciona la reanudación del funcionamiento radicular y del crecimiento, así como la fructificación posterior y la buena salud del árbol en la edad adulta. Si el terreno no está mullido a suficiente profundidad, por ejemplo, las raíces acabarán por chocar con un subsuelo duro y se verá cómo el árbol se estanca sin razón aparente e incluso cómo empiezan a aparecer manchas foliares alarmantes. En resumen, vale la pena cuidar la plantación.

Un hoyo cómodo

Hay que cavar un hoyo de 80 cm de profundidad y otro tanto de ancho. No se obceque con la azada si el terreno es compacto o pedregoso. La horca, incluso el pico en el subsuelo, para mullir y después la pala para sacar la tierra le resultarán mucho más cómodas. Es conveniente esperar un mes desde que se abre el hueco hasta la plantación; así el suelo tiene tiempo para airearse y mullirse en profundidad de modo natural.

Separar las capas...

Se empieza formando un montón con la tierra arable de la superficie, siempre más bonita y negra que la del subsuelo. El grosor de esta capa variará según los terrenos.

Se hace otro montón aparte con la tierra extraída del fondo. Después, se mulle el fondo del hoyo con la horca o con el pico. Tenga cuidado para no aplastar la tierra con las pisadas.

...y volver a tapar

• Hay que mejorar la tierra de la parte profunda con un abono de fondo (*véase* página 54) o cambiarla si es de muy mala calidad. Después se tapa en parte el hoyo, hasta una altura que nos permita colocar más o menos el árbol. El punto de injerto, reconocible por su collar, debe situarse justo

---

Qué enmienda escoger

Las enmiendas son útiles para corregir un problema o un desequilibrio del suelo; en caso necesario, hay que llevar una muestra de tierra a un laboratorio para que la analicen. La elección de la enmienda depende también de las necesidades específicas de las diferentes especies de árboles frutales (*véase* página 13). Algunos casos corrientes son muy fáciles de resolver:

· Si la tierra es demasiado pesada, compacta y se queda empapada (muy arcillosa), incorpore arena y mantillo a base de turba.

· Si el agua se filtra muy rápidamente y la tierra no tiene firmeza (muy arenosa), haga un doble aporte de compost de estiércol, mantillo a base de turba y tierra vegetal arcillosa.

· Si la tierra es demasiado calcárea (color blanco), aporte mantillo de hojas de roble y de haya y turba rubia, o tierra de brezo.

· Si la tierra es demasiado ácida (para rododendros, hortensias...), añada litotamnio, compost de estiércol enriquecido con algas y una enmienda calcárea (cal apagada).

Los mejores compost contienen ceniza de madera y hojas muertas. ¡Cuidado!: no se añaden las de los frutales.

• Para terminar, se forma un ligero alcorque amontonando la tierra alrededor del tronco. De esta forma, se evita que el agua de riego chorree en vez de ir hacia las raíces. Vierta enseguida 20 litros de agua en el alcorque y déjela que penetre poco a poco.

El compost y las enmiendas

Indispensable para mejorar la estructura y la vida microbiana del suelo, el compost aporta el humus necesario para que la tierra sea fértil, mejora la retención del agua y aligera las tierras arcillosas. También contiene una reserva de nutrientes que el árbol utilizará a medio plazo. El compost puede ser de estiércol o de detritus vegetales.

Las enmiendas sirven para corregir los defectos o los desequilibrios del suelo: demasiado ácido, demasiado pesado, arenoso en exceso... Se incorporan al hoyo de plantación a razón del 20% del volumen de la tierra de origen. Después, en otoño, cuando se renueve la tierra superficial, las enmiendas se echarán como acolchado.

Qué compost comprar

El compost del comercio generalmente procede de estiércol de granja al que se añade compost de hojas, cortezas, residuos vegetales diversos y algas. Todos están muy

sobre el nivel del suelo, teniendo en cuenta que va a apelmazarse ligeramente. Por ello, deben calcularse 10 cm. Hay que extender bien las raíces. Si ha comprado el árbol en tiesto, primero tendrá que desenredar con cuidado la maraña de raicillas.

• Antes de poner el árbol en su sitio, debe plantarse el tutor para no correr el riesgo de estropear las raíces (véase página 47). Ate provisionalmente el tronco sin apretar o pida ayuda a otra persona para que mantenga el árbol recto.

• Entre las raíces se vierte la tierra arable que habremos mejorado con una enmienda orgánica (véase más abajo). Apisone la tierra alrededor del tronco y sacúdalo un poco para que las partículas de tierra penetren bien entre las raíces.

equilibrados. Los que contienen algas están particularmente indicados en razón de su riqueza en oligoelementos, salvo si el terreno es demasiado calcáreo, ya que las algas aumentan el pH del suelo.

Atención: no hay que confundir el compost con el mantillo. Este último es un soporte de cultivo que se tiene que usar tal cual para la plantación en tiesto o en sustitución de un suelo de muy mala calidad.

El compost «casero»

Si usted mismo se fabrica su propio compost con los desperdicios del jardín, las hojas muertas y las mondas de las frutas y las verduras, podrá utilizarlo para la plantación de los árboles frutales a condición de que esté bien maduro. El compost en sazón se parece al mantillo (negro y graso) porque está perfectamente descompuesto. El compost que contiene cenizas de madera es muy conveniente para los árboles frutales, porque la ceniza es rica en potasa.

Qué cantidad aportar

Los fabricantes de compost en sacos dan indicaciones precisas de dosificación en el envoltorio. Es inútil, incluso arriesgado, aumentar la dosis (puede provocar quemaduras). En el caso del compost «casero» hay que administrar 30 litros, no más, para cada hoyo de plantación. Es el equivalente a tres cubos. Conviene extender un poco de compost al pie de los frutales cada otoño; medio cubo basta. Luego se rastrilla o cava la tierra para que las sustancias penetren.

Los tutores

Excepto para los vasos y los ejemplares de pie medio «bien asentados en sus pies» *(véase página 32)*, es indispensable sostener el árbol joven hasta que esté suficientemente arraigado para que no haya que lamentar los efectos del viento. Al tutorar los árboles se puede evitar que se inclinen antes de tiempo, cosa que podría ocurrir con los troncos altos plantados en una pradera expuesta al viento. El tutor también permite conservar la bella silueta de las formas planas en espaldera trabajada por el viverista.

Como tutores suelen usarse estacas de castaño sin tratar.

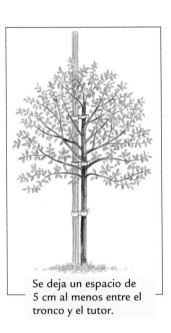

Se deja un espacio de 5 cm al menos entre el tronco y el tutor.

Sostener un pie alto

Para sostener un ejemplar de pie alto, se hunde profundamente, con la maza, un rodrigón de 2,50 m en el hoyo de plantación. Hay que hacerlo antes de plantar el árbol para no dañar las raíces. El tutor debe encontrarse a unos 5 cm del tronco. Se ata el tronco al rodrigón en tres o cinco puntos con cinta de caucho o plástico. Hay que evitar absolutamente el alambre porque hiere la corteza. En años sucesivos, se irán aflojando esas ligaduras a medida que el tronco aumente de diámetro.

Guiar una palmeta

Las formas llamadas planas deben ponerse en espaldera sujetas obligatoriamente a un soporte enrejado o formado por listones de madera atados para crear un armazón. Con mayor frecuencia se utilizan alambres horizontales o listones de castaño (espaciados unos 30 cm) tensados sobre clavijas fijadas a un muro (debe dejarse al menos 5 cm entre la estructura y el muro) o en-

tre estaquillas, en el borde de un camino o de la huerta, por ejemplo. También puede servir un enrejado decorativo.

Los ramos se van fijando a los alambres según van creciendo. Las «U» crecen, en general, muy derechas. Para ayudar a las palmetas oblicuas a no alabearse, a veces se sos-

Hay que examinar de vez en cuando las ataduras de las formas en espaldera.

El baño estimulador de las raíces
Este pequeño gesto tan simple ayuda mucho al árbol a enraizarse. Tras refrescar las raíces con una ligera poda (no más de la quinta parte de su longitud), se sumergen en una mezcla de arcilla, boñigas de vaca y agua. También se venden estimuladores de raíces listos para su uso y enriquecidos con nutrientes útiles y hormonas.
Este baño estimulador debe realizarse en el último momento, justo antes de colocar el árbol en el hoyo. Se puede añadir lo que sobre a la tierra que cubra las raíces.

El empajado o acolchado permite preservar la humedad y la tibieza del suelo.

tienen los brotes con tutores de bambú fijados al alambre –un tremendo trabajo que da un aspecto cuidado y muy estético a la palmeta.

El riego el primer año

Si la variedad está bien adaptada al suelo y al clima, los árboles frutales adultos no necesitan riego, salvo en caso de sequía prolongada. Las palmetas plantadas a lo largo de un muro, que sin duda sólo reciben parcialmente el agua de lluvia, son las únicas excepciones. Solamente deben regarse desde la época de floración hasta que empiece a madurar la fruta. No riegue demasiado (10 litros cada vez), pero sí de modo regular para que los frutos no se estropeen.

Sin embargo, los árboles jóvenes que llevan poco tiempo plantados no serán autónomos antes de un año. Si se riegan poco, arraigarán mal, tendrán problemas para volver a crecer y fructificarán con menos rapidez.

Cuándo regar

El agua se aporta a mediodía en los seis meses más duros del año, por la mañana en abril-mayo y septiembre, y al atardecer (lo más tarde posible) en verano. No hay que mojar el follaje para evitar la aparición de enfermedades.

Conviene regar el arbolito individualmente una vez por semana, sea cual sea el tiempo que haga, de abril a octubre, aportando en cada riego 20 litros de agua, es decir, dos regaderas. Durante su primer invierno, sólo hay que regar una vez cada quince días (10 litros cada vez), si se ha plantado en noviembre. En un suelo muy arenoso, se riega más a menudo en verano: 10 litros cada cuatro días.

El empajado o acolchado: una buena astucia para espaciar los riegos

Empajar o acolchar consiste en cubrir el suelo al pie del arbolito con una capa de 15 cm de paja, fibra de lino, cascarilla de cacao o incluso césped segado y seco. También existen «alfombras» de fibra de coco especialmente concebidas para este fin. Esta cobertura conservará la humedad y el frescor del suelo en verano y su tibieza en invierno. La instalación y el crecimiento del árbol serán sorprendentes.

Se puede seguir empajando un árbol adulto, pero hay que pensar en quitar esta capa protectora todos los años en noviembre para cavar el suelo y aportar compost. En este momento, aproveche para dejar el terreno desnudo durante unas semanas para que los parásitos queden, así, expuestos al frío.

El mantenimiento del árbol frutal

La poda es la operación de mantenimiento más delicada, también la que más inquieta al jardinero. Pero se puede simplificar incluso en las formas empalizadas sin comprometer la fructificación. La prevención y la lucha contra las enfermedades también deben tenerse en cuenta.

La poda

La poda de formación

Si se ha comprado un arbolito ya formado en tronco, vaso, pirámide o palmeta, es inútil intervenir. Pero si ha elegido un plantón (sujeto joven injertado de un año), será necesario guiar su crecimiento. El plantón se descabeza. Las yemas situadas bajo la copa serán el origen de las ramas maestras. Acortadas al año siguiente, esas ramas se ramificarán a su vez para dar ramos secundarios que llevarán ramillas el tercer año. Estas últimas son las que darán los frutos. La dificultad consiste en lograr una silueta armoniosa con ramas estructurales bien repartidas alrededor del tronco. Es preciso escoger las más prometedoras y cortar las demás. La poda de formación se efectúa, sea cual fuere la especie, a finales del invierno, en el momento en que la vegetación vuelve a arrancar (hinchazón de las yemas).

Un buen corte

Cuando se acorta un ramo o una rama joven se hace 5 mm por encima de una yema bien dirigida (nunca hacia el interior del ramaje). Corte con un golpe limpio en bisel hacia la parte opuesta al ojo (yema), de modo que el agua de la lluvia no caiga sobre el brote tierno. Utilice una podadera muy afilada y que pueda manejar bien: todo corte astillado o desgarrado es una puerta abierta al desarrollo de enfermedades.

La poda de un frutal joven

Si ha adquirido un árbol joven ya formado, deberá intervenir durante los dos o tres años posteriores a la plantación para mantener la forma trabajada por el viverista y evitar que el árbol crezca de manera anárquica. Se pueden obtener resultados completamente satisfactorios con algunos principios muy simples. La finalidad de la poda de un frutal joven es dominar la formación de su silueta definitiva e incitar a las ramas jóvenes a ramificarse, más que a alargarse.

Manzano o peral: vaso o pie alto

La poda tendrá lugar en marzo.

• Elimine a ras del tronco los ramos que, apareciendo demasiado abajo, modificarían la silueta del árbol. Además, debe suprimir las ramas nuevas que se dirijan hacia el interior del ramaje. Éste tiene que respirar y recibir el sol. Si dos brotes nuevos se cruzan, escoja el mejor dirigido o el más bonito y sacrifique el otro.

• Quite las ramillas secas, endebles o torcidas.

• Corte las ramas principales jóvenes

Las heridas mal cicatrizadas causan derrames de goma.

una cuarta parte de su longitud. Acorte un poco más las que se alarguen en exceso y sea un poco más drástico con las más débiles. Cuanto más corta se pode una rama, con más vigor rebrotará.

• Cuente de tres a cinco yemas en los ramos secundarios que nacen en las ramas principales. Corte 5 mm por encima de una yema dirigida hacia el exterior del ramaje.

Ciruelo, cerezo, albaricoquero o melocotonero: vaso o pie alto

La poda se efectúa a finales de agosto, cuando la savia empieza a bajar. Esta intervención de verano evita o reduce los derrames de goma que agotan el árbol.

• Elimine a ras del tronco los ramos que aparecen demasiado abajo y modificarían la silueta del árbol. También debe suprimir las ramas nuevas que se dirijan hacia el

Poda de un frutal joven de pepita en vaso o en pie alto.

Poda de un frutal joven de hueso en vaso o en pie alto.

Poda de un frutal adulto de pepita (final del invierno).

Poda de un frutal adulto de hueso.

interior del ramaje. Éste debe respirar y recibir el sol. Si dos brotes nuevos se cruzan, elija el mejor dirigido o el más bonito y sacrifique el otro.

• Suprima las ramillas secas, endebles o torcidas.

• Pode las ramas largas verticales una tercera parte para que puedan ramificarse. No toque los brotes laterales o secundarios.

La poda de un árbol adulto

Existen técnicas de poda muy complejas destinadas a acrecentar al máximo la capacidad de fructificación de los árboles. Pero si para usted es más importante simplificar la tarea que conseguir una cosecha muy abundante, sepa que esas operaciones de especialista pueden ser mucho más fáciles de

lo que parece. Hay que intervenir cada año en los árboles frutales para evitar que se hagan demasiado frondosos o grandes. Eso será suficiente. Los pasos a seguir dependen de la especie más que de la forma del árbol, a excepción de las formas en espaldera *(véase* página 53).

Manzanos y perales

Se interviene a finales del invierno, antes de que las yemas se hinchen.

• Elimine los ramos jóvenes que nacen en la parte baja del tronco, en medio del ramaje y los demasiado numerosos. Evite, por ejemplo, que dos brotes salgan del mismo sitio o se crucen.

• Acorte los nuevos brotes vigorosos: corte dos tercios de los que nacen en verti-

Hay que despuntar los brotes jóvenes de los melocotoneros y los albaricoqueros en espaldera.

Cerezos y melocotoneros

Los melocotoneros fructifican únicamente en la madera de un año. En cuanto al cerezo, detesta la poda (provoca derrames de goma que favorecen la aparición de enfermedades), pero a veces necesita que se contenga su desarrollo. Para los dos se aplica el mismo tratamiento, muy simple: hay que cortar los extremos de los ramos cargados de fruta en el momento de la cosecha. Esto favorecerá la emisión de brotes nuevos más cerca de la cruz, que a su vez fructificarán. Aproveche esta poda para eliminar la leña enferma o muerta.

Las formas en espaldera

Reducidos a una pequeña superficie por la poda que han sufrido durante sus primeros años, los árboles en forma de «U» o en palmeta deben conservar su bello equilibrio.

Los profesionales recurren a técnicas de poda muy complejas que, felizmente, se pueden simplificar. Realice una poda sencilla dos veces al año y las espalderas seguirán siendo tan bellas como productivas.

Melocotonero y albaricoquero

Se interviene en dos tiempos:

• En el momento de la recolección o justo después, corte los ramos que hayan fructificado. Reduzca a la mitad de su longitud los brotes jóvenes para que se ramifiquen.

cal en la parte alta del árbol y limítese a la mitad para los que salen oblicuos. No toque los ramos orientados en horizontal. La idea es aclarar el centro del árbol para que penetren el aire y la luz, y evitar el alargamiento desmesurado de las ramas y de los ramos que llevarán los frutos. Estos ramos se desarrollan casi siempre en un ramo secundario; por lo tanto, habrá más en un árbol ramificado; en los árboles de cierta edad, no hay que dudar en cortarlos, si son demasiado largos, a unos centímetros de la base, por encima de los pequeños pliegues de donde nacerán en dos años nuevas producciones fértiles (yemas de frutos).

Ciruelos y albaricoqueros

Se podan muy ligeramente después de la recolección, entre septiembre y noviembre. Hay que eliminar la leña muerta y los ramos jóvenes muy mal situados o que se cruzan. Se pueden acortar un tercio o un cuarto los brotes jóvenes que desequilibren la armonía de la silueta del árbol. Las podas deben limitarse al mínimo.

• En mayo o junio, despunte los brotes jóvenes suprimiendo de uno a tres ramilletes de hojas, siempre para favorecer la ramificación.

Aproveche para atar los ramos nuevos en «espina de pez».

¿Qué herramientas son necesarias?

Para la poda de los ramos nuevos se utiliza una podadera bien afilada que habremos desinfectado con alcohol. Una rama más considerable se debe cortar con una pequeña sierra de podar y luego se repasa con la navaja de podar para que el corte quede bien limpio. Para alcanzar las ramas altas de los cerezos y otros árboles de crecimiento libre, la podadera de pértiga nos evitará tener que subirnos a una escalera. La lama se acciona desde el suelo con un cordón.

Es indispensable usar una podadera de buena calidad.

Manzano y peral

Se interviene en dos tiempos:

• En verano (a finales de junio) despunte los brotes nuevos para no dejar más que de cuatro a cinco hojas a partir de la base de la rama. Después, elimine todas las ramas con hojas que acompañen a los frutos (desyemadura).

• A finales del invierno (de diciembre a febrero) pode los ramos laterales por encima de la tercera yema (ojo). Simplifique al máximo las ramas de frutos para que no se ramifiquen.

Poda de formación de un plantón (véase página 50).

La fertilización

El fósforo (símbolo P) permite a los frutales solidificar su armazón y el sistema radicular, pero también les sirve para aguantar a la intemperie y para resistir los ataques de parásitos o enfermedades; además participa en el proceso de floración.

El potasio (símbolo K) les es necesario para producir regularmente frutos buenos y grandes; interviene en la calidad, pero también en la resistencia al frío y a la sequía.

Por último, el nitrógeno (símbolo N) interviene, como en todas las plantas, en su crecimiento y en la calidad de la vegetación. El hierro y los oligoelementos son igualmente indispensables para la salud del árbol.

Las necesidades de un árbol frutal no son las mismas que las de las lechugas del huerto o el césped. Un abono que contenga demasiado nitrógeno, por ejemplo, provocará un exceso de vigor en el árbol y en su follaje, en detrimento de la fructificación y de la solidez de las ramas.

Qué abonos elegir

Más vale invertir en una fórmula específica para árboles frutales. Según las marcas, este abono tendrá de cuatro partes de nitrógeno por dos de fósforo y tres de potasio (por ejemplo: «NPK = 16-8-12») a dos partes de nitrógeno y fósforo por tres de potasio (por ejemplo: «NPK = 12-12-18»).

Si tiene un terreno pobre o ha estado muy ocupado durante la última década, elija la primer fórmula, sobre todo si los árboles son jóvenes.

Si su terreno es particularmente rico en nitrógeno (presencia de ortigas, murajes...) o si usa mucho compost, es mejor que escoja composiciones con poco nitrógeno, sobre todo para árboles adultos.

Si desea hacer cultivos biológicos, debe comprarse una fórmula lista para usar que garantice el empleo de productos orgánicos y minerales. Hacer nuestra propia mezcla con ceniza de madera y polvo de huesos es bastante arriesgado.

Los abonos de síntesis se presentan en forma de gránulos para esparcir al pie del árbol. Se disuelven por efecto de la lluvia o los riegos.

Cuándo y cómo aplicar el abono

Se procede cada año en primavera, en el momento en que la vegetación arranca de nuevo. Es en esa época cuando el árbol necesita estimular su metabolismo y absorbe al máximo los elementos fertilizantes.

- Trace un círculo hipotético en la vertical del extremo de las ramas del árbol. Se corresponderá con el volumen de las raíces.

- Reparta la dosis de abono, siguiendo las instrucciones del fabricante, en el perímetro de ese círculo. Si lo extiende demasiado cerca del tronco, el abono no será aprovechado por las raíces más activas.

- Rastrille ligeramente el suelo para que penetren los gránulos superficialmente. Riegue si el tiempo es seco.

Algunos errores que se deben evitar

- Aportar el abono demasiado tarde: los brotes jóvenes con crecimiento estimulado en verano no tendrían tiempo de endurecerse antes del invierno.

- Sobrepasar la dosis prescrita por el fabricante: provocaría quemaduras (manchas rojizas, hojas decoloradas) y haría que el árbol fuese más sensible a las enfermedades y plagas.

- Seguir ciertos consejos que recomiendan poner a los frutales un abono especial para huerto o para césped: supone arriesgarse a provocar un brote de follaje demasiado fuerte y perder, durante un año al menos, una buena fructificación.

Enfermedades y plagas

Únicamente la prevención permite evitar la gran mayoría de los problemas sanitarios que sufren los árboles frutales. Cuando el insecto o el hongo está bien instalado, es muy difícil erradicarlo. Los tratamientos preventivos no se efectúan en el momento en que los síntomas son más visibles (a finales de primavera y principios de verano), sino en invierno y al comienzo de la época vegetativa. Son muy sencillos de aplicar y los

Los abonos son muy útiles en primavera, en el momento en que la vegetación arranca de nuevo. Sin embargo, es fundamental respetar las dosis prescritas.

árboles los soportan muy bien. ¡Basta con no olvidarse!

Una excepción a esta regla: los ataques de insectos muy visibles, como los pulgones, que se deben tratar mediante pulverización de insecticida desde su aparición, antes de que se propaguen por toda la planta.

Qué productos utilizar

El tradicional caldo bordelés a base de sulfato de cobre es eficaz contra las enfermedades y los hongos corrientes de todos los árboles frutales, excepto el mal blanco o cenizo (oídio). El tratamiento tiñe el ramaje de un extraño color azul por el que no hay que inquietarse.

El caldo bordelés presenta un único defecto: que las hojas nuevas lo soportan mal (riesgo de quemaduras); por eso hay que usarlo en pleno periodo vegetativo, o como prevención cuando se hinchan las yemas o se caen las hojas (así es más eficaz).

Algunas precauciones a tener en cuenta
· Nunca se abona con viento fuerte. Hay que evitar también los días de heladas, porque los productos perderían eficacia.
· Hay que escuchar las noticias del tiempo: si se anuncian lluvias, éstas lavarán los tratamientos y habrá que empezar de nuevo.
· Es indispensable llevar máscara y guantes para evitar todo contacto con el producto.

El abono se echa en el suelo, en el círculo que forman los extremos del ramaje, pues las raíces están tan extendidas como las hojas.

Los tratamientos preventivos se efectúan en invierno. No hay que tratar los árboles durante la floración.

El caldo bordelés es el único producto homologado por su acción bactericida. Previene especialmente el fuego bacteriano y también se utiliza en agricultura biológica.

Si se constata la presencia del mal blanco o cenizo (oídio), hay que emplear azufre mojable para pulverizar. Pero no realice nunca este tratamiento con tiempo demasiado cálido (más de 25 °C), porque entonces correría el riesgo de provocar quemaduras.

También hay que tener siempre en casa un insecticida específico contra los pulgones. Se puede usar el mismo que se emplee para los rosales. Además, será eficaz contra las orugas.

Los ácaros o arañas rojas no se destruyen más que con un producto específico a base de dicofol (común a todas las marcas), que se pulverizará a partir de mayo cuando haga calor y no llueva.

Los atractivos «productos totales», que asocian insecticida y fungicida, sólo sirven para prevenir, pero, ciertamente, reducen mucho los ataques.

Qué material emplear

Los productos de tratamiento se presentan en forma de polvo para remojar o líquido para diluir en agua. Deben evitarse los que se espolvorean en seco, porque son peligrosos y poco agradables de utilizar.

Hay que respetar escrupulosamente la dosis indicada por el fabricante y las condiciones de uso.

Para un árbol pequeño, bastará un pulverizador a presión de 2 o 3 litros. La activación de la presión se efectúa dando varios golpes de bomba. Un pulverizador de lanza permitirá alcanzar con más facilidad las ramas altas de los árboles grandes. Un modelo de 5 a 7 litros para llevar a la espalda debería ser suficiente.

La cantidad de solución para un tratamiento eficaz es, aproximadamente, de 1 litro para una palmeta y 10 litros para un árbol grande. Hay que mojar todas las ramas, los ramos y las hojas que pudiera haber, por ambas caras.

Los pulverizadores de lanza son muy prácticos. Permiten trabajar fácilmente desde el suelo y alcanzar sin dificultades las ramas más altas del frutal.

Los tratamientos de otoño

Hay que estar atentos a la caída de la hoja en octubre-noviembre. En cuanto comience, se deben pulverizar todos los árboles con caldo bordelés. En efecto, las enfermedades y los hongos eligen ese momento para penetrar en los ramos a través de las pequeñas heridas naturales causadas por la caída de los peciolos.

Con el caldo bordelés las hojas se caen más rápidamente y, por lo tanto, el árbol tiene una dormancia más completa. Si el tiempo está muy húmedo o si los árboles han estado enfermos durante la estación vegetativa, se vuelve a pulverizar quince días más tarde.

Los tratamientos de invierno

Tradicionalmente, se pulverizan caldos a base de aceite de parafina en invierno para ahogar las larvas de insectos en hibernación y, al mismo tiempo, eliminar el musgo y el líquen. Se interviene en diciembre y enero, y luego a finales de febrero, dejando chorrear bien el producto en las cavidades de la corteza.

Los tratamientos de principios de primavera

Debe usarse un tratamiento total cuando se hinchan las yemas y luego unas semanas después, cuando se abren (brotación); también a la caída de los pétalos de las flores y en el tiempo de formación del fruto (inflamación del ovario).

Estas cuatro intervenciones suelen ser suficientes para asegurar una protección casi total a los frutales para toda la temporada.

El encalado de los troncos es un método antiguo que permite sanear la corteza del árbol.

La higiene, la mejor de las prevenciones

La higiene no es una manía del jardinero puntilloso, sino una precaución elemental que puede evitar graves problemas sanitarios a los frutales. Estas sencillas precauciones requieren poco tiempo y algo de atención.

• Recoja las hojas muertas de los frutales y aún con más cuidado las de los árboles que hayan sufrido un ataque de hongos o parásitos. Sobre todo, no las eche en el montón del compost: quémelas. Haga lo mismo con los restos de poda y las frutas estropeadas, mohosas, agusanadas o no consumidas.

• Desinfecte todas las herramientas de corte con alcohol entre dos operaciones de poda. Ello impide que se transmitan hongos o el temible oídio de un árbol a otro.

• Cepille los troncos en invierno con un cepillo metálico. Así eliminará el musgo y el líquen que ahogan a la corteza y, sobre todo, desalojará a las larvas de los parásitos que invernan.

• Remueva la tierra al pie del árbol con una horca, en otoño o en invierno, si es posible. Esta acción, que descompacta el suelo, permite también exponer las larvas de los parásitos al hielo.

• Recupere la antigua tradición de blanquear los troncos con una lechada de cal a finales del invierno. ¡Atención!: se trata de cal aérea apagada, no cal viva o hidráulica. Es una buena medida contra ciertos pará-

Un buen truco

Una técnica perfectamente natural y gratuita para coger en la trampa a los parásitos en el momento en que descienden a invernar al pie del árbol consiste en poner cartones ondulados alrededor del tronco o alfombras viejas en el suelo, hacia octubre. Se queman en diciembre con sus «habitantes».

Las frutas estropeadas atraen a los insectos.

sitos, sobre todo la cheimatobia (gusano de la fruta). Además, puede poner un cinturón de cola o liga (en el comercio existen bandas listas para usar) que impedirá que las hormigas criadoras de pulgones y los parásitos trepadores vuelvan a ocupar sus cuarteles de verano en el árbol.

El aclareo (raleo) de la fruta joven

Esta tarea, que solemos hacer de mala gana porque tenemos la impresión de estar estropeando parte de la futura cosecha, es una garantía para lograr buenas recolecciones de fruta de un calibre satisfactorio sin riesgo de agotar el árbol. Consiste en sacrificar una parte de las frutas jóvenes en provecho de las más bonitas y mejor situadas.

Por qué aclarar

Las variedades tradicionales de ciruelos, manzanos y perales, especialmente, están sometidas al fenómeno de la alternancia. Un año sí y otro no, producen tanta fruta que se agotan. ¡Y al año siguiente, descansan! Las variedades más recientes, a menudo muy productivas, ven sus ramas tan cargadas de fruta que corren el peligro de romperse en verano.

En los dos casos, si los ramos de frutas son demasiado importantes, éstas se quedan pequeñas y malformadas. Seleccionar las mejores permite conseguir frutas de buen tamaño sin que el árbol se agote en vano.

Cuándo y cómo aclarar

Entre finales de abril y mediados de junio, según las especies y regiones, las frutas jóvenes alcanzan el tamaño de una avellana (albaricoques) o de una nuez (manzanas). Es el momento idóneo para intervenir. La presencia de algunas frutas caídas de modo natural al pie del árbol (caída fisiológica) es la mejor señal.

En un árbol pequeño, como una palmeta, el aclareo se hace a mano, fruta por fruta, salvando las más prometedoras. En los perales, se eliminan las frutas que estén en medio del ramillete. En los manzanos, se sacrifican las de la periferia. No deje más que dos o tres frutas por ramo, según la salud del árbol y el calibre que desee obtener.

En un árbol grande, es suficiente sacudir suavemente las ramas con una vara. Los frutos más débiles caerán por sí mismos.

Las manzanas jóvenes se aclaran cuando son del tamaño de una nuez.

Las once enfermedades y plagas más corrientes

Síntomas	Responsables	Soluciones
Las hojas adquieren un aspecto plateado, plomizo, se decoloran y luego se secan prematuramente.	Ácaros («araña roja») visibles con una lupa; a veces forman finas telas	Cepille la corteza de los árboles en invierno, insistiendo en las cavidades, y pulverice dos tratamientos de invierno. Pulverice también un acaricida específico en cuanto haga calor y no llueva.
Pelusilla blanca en las hojas, que se deforman; luego en las frutas, que se manchan. El crecimiento se ralentiza mucho.	Oídio, mal blanco o cenizo	Pulverice preventivamente un producto a base de azufre: tras la floración, en cuanto los pétalos hayan caído; luego 6 semanas más tarde, con tiempo suave. En la época vegetativa, utilice un fungicida a base de triforina o flusilazol.
Las flores y los ramos se secan y luego caen, dejando aparecer marcas negras. Los frutos se pudren, se cubren de manchas blancas concéntricas y se secan en el árbol.	Moniliosis	Trate preventivamente con caldo bordelés en el momento de la caída de la hoja y luego justo antes de la floración. Corte y queme las frutas y los ramos afectados.
Las frutas se pudren y se caen antes de madurar. Presencia de gusanitos blancos en la carne.	Gusano de la fruta (mosca de la fruta)	Cave el suelo al pie del árbol en invierno para exponer las larvas al frío. Trate en mayo y junio con un insecticida polivalente y ponga bandas de liga a finales de abril, primeros de mayo.
Aparecen colonias de pulgones bien visibles en el extremo de los brotes nuevos y bajo las hojas, que se ponen pegajosas y se enrollan o crispan.	Pulgón negro, verde o pardo	Pulverice un insecticida específico desde la aparición de los primeros insectos. Repita la operación en cuanto descubra nuevas colonias.
Pelusa blanca en los ramos.	Pulgón lanígero	Embadurne las colonias con alcohol de quemar (con un pincel). Realice un tratamiento de invierno.

Las once enfermedades y plagas más corrientes

Síntomas	Responsables	Soluciones
Desecación súbita del árbol entero a partir de los brotes jóvenes. El primer síntoma es la necrosis.	Fuego bacteriano	Ninguna. Arranque y queme todo el árbol afectado para evitar que contamine a otros ejemplares. Póngalo en conocimiento de los vecinos y los organismos competentes. Para prevenir, el caldo bordelés pulverizado a la caída de las hojas es eficaz.
Presencia de hinchazones y derrames de goma en la base de las ramas. Las hojas cuelgan y se enrollan. Los ramos jóvenes pueden secarse.	Enfermedades criptogámicas (hongos) o bacterianas diversas	Pulverice caldo bordelés al comienzo de la caída de la hoja, en octubre, y 15 días después. Trate de nuevo en marzo. Suprima los ramos afectados y unte la herida con masilla para cicatrizar.
Las frutas están minadas de galerías hechas por una oruga. Por los agujeros sale una especie de serrín o deyecciones.	Carpocapsa	Ponga en los árboles trampas de feromonas sexuales para capturar a los machos, lo que evitará la fecundación de las hembras.
Presencia de abolladuras en las hojas, que se vuelven rojas y se caen prematuramente. Los ramos jóvenes se retuercen y mueren.	Abolladura (lepra) del melocotonero	Para prevenir, pulverice con caldo bordelés al principio de la caída de la hoja, luego 15 días más tarde y, finalmente, en febrero, cuando los botones florales comiencen a enrojecer. Los productos a base de oxicloruro de cobre y de doguadine pueden aplicarse desde los primeros síntomas.
Manchas negras y rugosas en la piel de la fruta en vías de maduración y en las hojas. Cosecha a menudo normal, pero menor conservación de la fruta, que se estropea.	Roña o moteado	Pulverice con caldo bordelés en el momento de la caída de la hoja y luego cuando se abulten las yemas (hacia marzo). Recoja y queme las hojas, y trate con malatión a finales del invierno.

Los árboles viejos mal atendidos se enmarañan rápidamente; es necesario cuidarlos con regularidad.

cosa. En cualquier caso, vale la pena intentarlo, pues la silueta del árbol puede bastar para que nos sintamos satisfechos. No obstante, hay que saber que los cerezos y los ciruelos rara vez sobreviven a una poda severa. En cuanto a los melocotoneros y albaricoqueros, su longevidad es menor que la de las demás especies.

Una poda bien pensada

Hay que podar en invierno, cuando el árbol se encuentra en completo reposo. Se trata de favorecer el brote de nuevas ramas y de aclarar un ramaje sobrecargado y desordenado. Desde luego, no se cortan todas las ramas al ras: al árbol le costaría volver a crecer. Se suprimen las enfermas y las que están atacadas por chancros (grietas). Se cortan, hasta la parte sana, las que están secas en parte. Hay que pararse a observar las ramificaciones de las ramas que quedan para suprimir las que se dirijan al interior del árbol o recarguen el centro del follaje. Los ramos jóvenes que brotan verticalmente se cortan por encima de la segunda o tercera yema. El objetivo es conseguir que la silueta del frutal se ensanche y vuelva a tener un aspecto armonioso, bien simétrico. Al final se habrá suprimido un tercio, o la mitad como máximo, del volumen inicial. En caso de duda, se podrá completar el trabajo al año si-

Rejuvenecer un árbol venerable

Cuando compramos una casa antigua, a menudo nos encontramos con magníficos árboles viejos, la mayoría de las veces en forma de pie alto.

Salvo que se estén muriendo, no hay que dudar en restaurarlos. Sin duda, nos sorprenderán con nuevas cosechas de deliciosa fruta, de una variedad antigua imposible de encontrar hoy. Estas variedades, muchas de las cuales desaparecen cada año, interesan a las asociaciones de conservación e intercambio, que tal vez le soliciten injertos; de esta manera, habrá contribuido a salvar un patrimonio precioso.

Es posible que el árbol no ofrezca más que peras antiguas para alcohol o manzanas para sidra con las que no se podrá hacer otra

Si recibe cuidados regulares y apropiados, un manzano podrá vivir mucho tiempo y dará felices sorpresas.

guiente. Entonces, se estará en condiciones de observar cómo ha reaccionado el árbol ante las primeras intervenciones.

Un buen corte

No se deben cortar las ramas a ras del tronco, sino en el lugar en que empiezan a estrecharse (a 3 o 4 cm de la base). Para evitar que se desgarren, se empieza el corte por debajo, a 20 cm del tronco.

A continuación, se sierra por encima y se acompaña a la rama en su caída. De esta forma, será más fácil cortar conveniente-mente el tocón restante. Una sierra de podar con dientes finos es la mejor herramienta para realizar este trabajo, porque hace una herida más regular. Es preferible que reserve la tronzadora para el aserrado de la leña.

Después, es indispensable tratar las heridas de corte superiores a 2 cm de diámetro. Para ello, se corta horizontalmente el perímetro con una navaja jardinera bien afilada para que el corte quede bien liso, como pulido, sin trozos de corteza que sobresalgan.

Para terminar, se embadurna la herida con alquitrán de Noruega o con una masilla cicatrizante de venta en comercios especializados.

Una «dieta» rica y algunos cuidados

Una buena nutrición ayudará al árbol a «arrancar» de nuevo. Sin temer cortar las raíces, se abre una zanja en el suelo –a la altura de la circunferencia imaginaria que forman los extremos de las ramas más extendidas–, hasta 30 cm de profundidad. Se pone en ella una capa de mantillo enriquecido con compost y abono completo (*véase* página 46). Luego se cierra y se riega abundantemente.

En el tronco y en las ramas grandes, se elimina hasta la parte sana toda la leña seca, hueca o cubierta de un derrame de goma, y se cubren las heridas con masilla cicatrizante.

Su árbol frutal también sabrá agradecer un buen cepillado del tronco, un tratamiento preventivo contra las enfermedades y unas bandas de liga contra los insectos trepadores (*véase* página 60).

CALENDARIO DE CUIDADOS

	Albaricoquero	Melocotonero	Cerezo
Enero	Pulverice un tratamiento de invierno a todos los árboles.	Corte ramas jóvenes para obtener injertos que podrá injertar en primavera.	Separe las ramas de los árboles en espaldera y vuelva a ponerlas en su sitio.	Plante si el tiempo es bueno. Acolche el pie de los árboles jóvenes.
Febrero	Al final del invierno, dé un tratamiento a todos los árboles.	Cuando las yemas estén bien abultadas, trate con un producto total.	Haga un tratamiento contra la abolladura.	Cave superficialmente al pie de los árboles para descompactar el suelo, y aporte abono.
Marzo	Aporte un abono para frutales a todos los árboles que comiencen a despertar.	Proteja de las heladas tardías los árboles que ya han empezado a despertar.	Si hay riesgo de heladas, pulverice las flores con agua.	Trate contra los primeros pulgones y extienda un acolchado o empajado al pie de los árboles jóvenes.
Abril	Todas las plantaciones deben haber terminado.	Acolche el pie de los árboles con un acolchado de cortezas.	Realice un tratamiento total tras la caída de los pétalos florales.	Elimine los derrames de goma y embadurne las heridas con masilla cicatrizante.
Mayo	Realice un tratamiento total cuando se formen los frutos (abultamiento del ovario de la flor).	Riegue si el tiempo es seco. Dé forma a los árboles jóvenes.	Riegue si el tiempo es seco. Elimine el exceso de frutos.	Pince los ramos que brotan con demasiado vigor, reduciéndolos a la mitad.
Junio	Debe desherbar el pie de los árboles jóvenes.	Apuntale las ramas muy cargadas de fruta para evitar roturas. Riegue si el tiempo es seco.	Termine el aclareo para que el árbol no se agote. Despunte los brotes jóvenes de las formas en espaldera.	Trate en tiempo seco y cálido contra los ácaros y la antracnosis. Coloque espantapájaros en los árboles: las aves adoran las cerezas.
Julio	Cese todo tratamiento al menos diez días antes de la recolección.	Elimine algunas hojas para exponer la fruta al sol: será más sabrosa.	Tras la recolección, riegue generosamente sin mojar el follaje, salvo al atardecer, después de la canícula.	No deje que las frutas se pudran en el árbol. Recójalas y quémelas.
Agosto	Ponga trampas para avispas en todo el huerto.	Se terminan las recolecciones.	Recoja la fruta. Riegue. Conviene mojar el follaje al atardecer.	Rastrille el suelo alrededor de los árboles para airear las raíces. Riegue bien.
Septiembre	Pida en los viveros los catálogos de otoño que acaban de salir.	Escarde al pie de los árboles para evitar la invasión de malas hierbas.	Elimine los ramos que han tenido fruta. Deshoje los melocotoneros tardíos para exponer la fruta al sol.	Debe escamondar los árboles que se han hecho muy altos sin cortar más de un tercio de cada rama.
Octubre	Coja toda la fruta antes de las primeras heladas.	Pulverice con caldo bordelés al comienzo de la caída de la hoja.	Trate con caldo bordelés para acelerar la caída de la hoja, que protege de la abolladura.	Ponga masilla en las heridas de la poda que exuden goma.
Noviembre	«Por Sta. Catalina, todo árbol enraíza», es el mejor mes para plantar.	Ponga en la zanja para renuevos los árboles que lleguen del vivero en tiempo frío.	Suprima la leña muerta antes de que la caída de la hoja sea total.	Conviene tratar con caldo bordelés cuando la hoja haya caído.
Diciembre	Reúna y queme las hojas muertas.	En las regiones con fuertes vientos, tendrá que atirantar los árboles.	Cepille la corteza para desembarazarla de parásitos. Incorpore estiércol orgánico a las nuevas plantaciones.	Ante todo, no pode, salvo para eliminar eventualmente una rama muerta. Pero sí puede podar los ramos de los árboles jóvenes.

CALENDARIO DE CUIDADOS

Peral	Manzano	Ciruelo	
Debe escamondar los árboles de crecimiento libre y cavar al pie de todos los árboles.	Empiece la poda frutal y vigile también la fruta almacenada. Elimine los chancros.	Rasque la corteza si está cubierta de musgo y líquen. Quite el muérdago.	Enero
Acode los membrilleros por aporcadura (en vástago) para obtener portainjertos de peral.	Debe escamondar los árboles viejos. Siembre las pepitas de manzanas con el fin de obtener portainjertos.	Elimine los derrames de goma y embadurne las heridas con masilla cicatrizante.	Febrero
Cave al pie de los árboles.	Siembre las pepitas de manzanas estratificadas en invierno para obtener portainjertos francos.	Termine de plantar los árboles a raíz desnuda.	Marzo
Ponga en empalizada los brotes nuevos de los árboles en espaldera y acolche el pie de éstos últimos.	Trate contra el oídio y, si es necesario, aporte un abono rico en nitrógeno.	Haga un tratamiento contra los pulgones.	Abril
Haga un tratamiento contra la roña (moteado). También es el momento de desyemar.	Es el momento de tratar contra el pulgón verde. Ponga en empalizada los brotes nuevos de los árboles en espaldera.	Trate contra la roya y los pulgones. Es el momento de desherbar el pie de los árboles.	Mayo
En suelo calcáreo, trate contra la clorosis. Despunte los brotes jóvenes de las formas en espaldera y embolse las mejores frutas.	Elimine el exceso de frutos. Ponga en empalizada los brotes nuevos de los árboles cultivados en espaldera. Embolse las mejores frutas.	Apuntale las ramas muy cargadas de fruta.	Junio
Haga un tratamiento contra la araña roja.	Compruebe que las ligaduras de los ramos en espaldera y del tronco de los árboles jóvenes no los estrangulan. Limpie los chancros.	Refuerce los puntales si las ramas se doblan por el peso de la fruta.	Julio
Empiezan las primeras recolecciones. Retire las bolsas de la fruta para que las peras tomen color.	Prepare el local de conservación de la fruta y desinféctelo. Quite las bolsas para que las manzanas tomen color.	Coseche la fruta y separe la sana de la que presente manchas y malformaciones.	Agosto
Coseche las peras de verano y ponga en empalizada las prolongaciones de los árboles en espaldera.	Coseche las manzanas de otoño y almacénelas en un local fresco. Destruya la fruta caída al suelo.	Recoja la fruta estropeada que se encuentre aún al pie del árbol.	Septiembre
Coseche las peras de otoño e invierno. Embadurne el pedúnculo de las frutas con parafina (o cera) tras la cosecha.	Coseche las manzanas de invierno. Marque las ramas para escamondar antes de la caída de la hoja.	Destruya las frutas secas que queden aún en el árbol.	Octubre
Es el momento de consumir las últimas peras y verificar el estado de las armaduras y ligaduras de las espalderas.	Vigile el estado de las frutas almacenadas. Tire las que no estén sanas. Embadurne la parte inferior de los troncos con cal.	Tras la caída de la hoja, trate con un fungicida.	Noviembre
Comience la poda de fructificación y elimine los ramos deformes.	Es época de escamondar los árboles grandes demasiado vigorosos. Rasque los chancros y suprima las ramas demasiado afectadas. Haga un tratamiento de invierno.	Rodee la base del tronco de los árboles jóvenes con una malla para protegerlos de los conejos.	Diciembre

Recolectar y conservar la fruta

Por fin ha llegado el momento que tanto anhelábamos; ya podemos coger la fruta y probarla. Pero aún tenemos que proteger nuestro precioso botín de la codicia de pájaros e insectos; y, si la estación ha sido generosa, encontrar el modo de conservar la fruta para disfrutarla el mayor tiempo posible...

La protección de las cosechas

¡No somos los únicos que sabemos apreciar una cereza cargada de zumo y de sol! Por eso, es indispensable que tomemos algunas precauciones para proteger a los cerezos de los pájaros, y a los ciruelos y albaricoqueros de las avispas.

Trampas para avispas

Las trampas para avispas son muy fáciles de preparar: llene hasta la mitad una botella de plástico con agua edulcorada con miel. Algunos utilizan restos de zumo de frutas. En la parte superior, haga agujeros de 5 a 7 mm de diámetro. Cuélguela del árbol que desee proteger un poco antes de que madure la fruta. La miel atraerá a las avispas, que se ahogarán en el agua.

Atención: no hay que hacer agujeros muy grandes: las utilísimas abejas correrían el peligro de caer en la trampa.

Alejar a los pájaros

Los pájaros glotones son más difíciles de contener. La colocación en los frutales de las tradicionales redes es bastante delicada, incluso para un árbol de talla pequeña. Además, las redes se convierten a veces en trampas mortales para algunos pajaritos que se enredan las patas en las mallas. ¡Y no hay que olvidar que, pese a todo, son amigos nuestros!

Los espantapájaros pueden tener una cierta eficacia, a condición de que se pongan en el último momento, cuando la fruta ya está madura. Si se puede, hay que cambiarlos de lugar todos los días. Colgados de las zadas, sin embargo, el embolsado es imposible con los árboles grandes.

La cosecha

Casi sólo se pueden sacudir los ciruelos...; aun así es preferible agitar delicadamente las ramas con una vara para que caigan las frutas maduras.

ramas, platillos de aluminio, bandas de papel plateado y otros espantajos reflejan el sol y hacen ruido con el viento.

Hay quien afirma que un saco de mejillones bien podridos hace huir con toda seguridad a nuestros amigos alados por una módica cantidad, ¡pero puede pasar lo mismo con el jardinero y el vecindario!

Otros han intentado con éxito «negociar» con los pájaros: colocan algunas frutas de fácil acceso al lado del árbol para que no se acerquen a las que se han quedado en las ramas.

Las frutas, especialmente las manzanas, deben cosecharse cuando se desprenden con facilidad.

El embolsado de la fruta

Es la solución preferida por los jardineros más perfeccionistas para proteger al máximo las cosechas. Se obtienen frutas perfectas si se envuelven una a una, hacia finales de mayo, inmediatamente después del aclareo (*véase* página 60), en una bolsa de papel kraft o parafinado sostenida por una goma. Tradicional para las formas empali-

Una recogida cuidadosa y respetuosa con los órganos del árbol garantiza a la vez la mejor conservación posible de la fruta y la protección de la buena salud de la planta.

Cuándo coger la fruta

Por lo general, la fruta se cosecha en plena madurez (así es como ofrece todo su sabor), salvo en el caso de las manzanas y peras para guardar. Si se cae alguna fruta por un golpe de viento, debemos ponernos en alerta. Si esperamos demasiado, la fruta se estropeará en la rama. El pedúnculo debe desprenderse con facilidad cuando se agarra la fruta con la mano.

Para las variedades de manzanas y peras que se conservan varios meses (*véanse* páginas 21-23) se distinguen la madurez de recolección (madurez fisiológica) y la gustativa.

Algunas frutas son buenas para comer de diciembre a marzo, pero en octubre todavía están duras y verdes. Sin embargo, hay que cosecharlas en ese momento para ponerlas al abrigo, donde terminarán de madurar. Se debe esperar el mayor tiempo posible para que puedan inundarse de sol. Pero no se puede dejar que las primeras heladas las estropeen. Mediados de octubre es una buena fecha para numerosas regiones.

La madurez de las cerezas no puede apreciarse más que en el paladar. No hay que esperar para cosecharlas.

Cómo proceder

• Las *manzanas* y las *peras* se cogen una a una, sin dejarlas caer al suelo. Se agarra el fruto con la palma de la mano ahuecada. Para las peras, se efectúa un movimiento de palanca hacia arriba, sin tirar ni romper el ramo con un gesto brusco. Para las manzanas, se gira delicadamente la fruta, como si se atornillara. La pieza viene con su pequeño pedúnculo. Tenga cuidado para no herir la fruta con el pulgar o con las uñas, sobre todo si desea conservarla mucho tiempo.

Un buen truco para las cosechas de los árboles grandes: para que no tenga que jugar a los acróbatas encima de una escalera utilice una herramienta para coger fruta que consiste en una especie de bolsa de tela sujeta al extremo de una vara telescópica. Una ligera presión hará caer la fruta en la bolsa.

• Las *cerezas* se recogen por pares, con el pedúnculo (rabillo) obligatoriamente. Para alcanzar los frutos situados en las ramas más altas, y a la vez contener el crecimiento del cerezo sin ocasionarle ningún daño, corte con la podadera de dos manos el extremo de un ramo demasiado cargado de fruta.

• Los *melocotones* y los *albaricoques* se desprenden sin el pedúnculo. Muy delicados, sensibles al menor golpe, deben cogerse uno a uno con mucho cuidado. No hay que dudar en cortar con la podadera el extremo de un ramo largo cargado de fruta. Entonces ya se podrán desprender tranquilamente.

• Las *ciruelas* destinadas a elaborar mermeladas o aguardientes pueden caer al suelo sin problemas. Se extiende una tela vieja o una lona al pie del árbol para amortiguar los choques y evitar que la fruta se ensucie. Con ayuda de una vara larga, se varea el extremo de las ramas, que es flexible, para conseguir que la fruta caiga. Sobre todo, no hay que dar golpes porque se romperían las hojas y los ramos.

La conservación

¡Qué contento y feliz, pero también qué desconcertado, se sentirá el que se encuentre un buen día con 20 kilos de deliciosos melocotones maduros! Seguro que pensará en ofrecer una parte a su familia y a sus vecinos, que quizás a su vez le aprovisionen de tomates, lechugas u otra fruta diferente de la suya...

Pero, por fortuna, existen medios eficaces para sacar provecho de una cosecha tan abundante. Algunas variedades de peras o manzanas se conservan sin preparaciones especiales durante varios meses (*véanse* páginas 21-23). Melocotones y albaricoques conservan cualidades interesantes una vez esterilizados. Las ciruelas perfuman deliciosamente los alcoholes. En fin, toda la fruta se congela bien, si se toman ciertas precauciones que hay que conocer; por supuesto, ya no será tan agradable de morder una vez descongelada, pero servirá para preparar deliciosas macedonias de frutas, helados y tartas que podremos disfrutar todo el año...

Conservar las manzanas

Con tal de que se trate de una variedad para almacenar, las manzanas se pueden conservar en el desván, en el sótano o en un cobertizo..., en cualquier lugar fresco, oscuro, no demasiado seco y bien ventilado. Algunos utilizan un viejo congelador (por supuesto desenchufado) cuyas juntas perforadas dejan pasar el aire. No hay que almacenar la fruta cerca de grandes cantidades de cebollas, ajos o patatas. Las manzanas se colocan con el rabo para abajo, sin tocarse, en cajas o en banastas llenas de paja o de papel de periódico. Las mejores se envuelven individualmente en papel, para que se conserven jugosas y crujientes.

• La jalea de manzana es más apreciada cuando se acompaña con canela, rosa (pé-

Las manzanas recién cogidas se seleccionan cuidadosamente; sólo se conservarán bien aquellas cuyo estado sea perfecto, es decir, sin manchas ni golpes.

talos molidos o agua de rosas), vainilla, o se acidula con un poco de limón.

• La compota puede conservarse durante unas semanas en tarros si está suficientemente azucarada.

• Las manzanas se pueden congelar peladas y cortadas en trozos desecados a horno caliente durante dos minutos y luego puestos en bandejas y espolvoreados con azúcar. Estarán listas para tartas o compotas.

Conservar las peras

Algunas variedades de peras pueden resistir de cuatro a seis semanas, incluso más (*véase* página 22). Para ayudarlas, hay que sumergir el extremo del rabo en parafina o en lacre y colocar las frutas con el pedúnculo hacia arriba, en cajas o banastas, lejos de las manzanas y de las demás cosechas.

El local de conservación debe estar todo lo fresco que se pueda, pero no demasiado seco, con el fin de que las frutas aguanten sanas el mayor tiempo posible. Consúmalas rápidamente.

• Si el trabajo, un poco engorroso, de la esterilización de los tarros no le desanima, pruebe a preparar peras (peladas y partidas en dos) en almíbar. Son muy apreciadas

La pera 'Conferencia' debe recogerse bien madura y consumirse en las dos a tres semanas siguientes.

Atención: para conservar las manzanas y las peras en el frutero, el sótano o el desván, se guardan solamente las piezas impecables, sin el menor picotazo de pájaros, ni agujeros de gusanos, ni manchas de podredumbre o de golpes. Revíselas de vez en cuando para quitar las frutas que empiecen a estropearse. Hay que desinfectar cada año las cajas y banastas, y quemar azufre en el local.

Conservar las ciruelas

- Las ciruelas se congelan muy bien enteras, deshuesadas. Después servirán para hacer tartas, macedonias y bizcochos.

- La jalea de ciruelas es fácil de realizar, fina de sabor, pero a veces resulta un poco insípida. Pruebe a enriquecerla con frutas rojas u otro perfume que le agrade.

- Las ciruelas, a la vez dulces y ácidas, son las mejores frutas para poner a macerar en alcohol.

- Con las variedades adecuadas se pueden preparar ciruelas pasas. Ponga las ciruelas en el horno a 80 °C durante unas 24 horas; después déjelas enfriar. Repita la operación una o dos veces más. Puede conservar las ciruelas pasas en bolsas de papel o en botes metálicos.

para elaborar carlotas y otros postres, sobre todo con chocolate. Otra opción es hacerlas en mermelada, solas o con otras frutas, como higos, plátanos, ciruelas.

- Las peras se congelan crudas, peladas y partidas en trozos gruesos. Hay que cubrirlas con almíbar para que cuando se descongelen no queden bañadas en agua. Después podrá usarlas para los postres, en crudo o cocidas.

Sumergir los rabos de las peras en parafina es una técnica tradicional que evita que estas frutas se marchiten muy deprisa.

El licor del solterón
Pruebe a preparar un delicioso digestivo llenando un bocal de aguardiente «especial para frutas», con cerezas, albaricoques y ciruelas, y, finalmente, el equivalente en peso de azúcar. No es necesario cocerlo, pero se aconseja hacer un corte a la fruta o perforarla para evitar que estalle. Deje que macere durante al menos dos meses.

Conservar las cerezas

• Las cerezas se congelan muy bien enteras, pero hay que deshuesarlas previamente. Después se utilizan para hacer helados, macedonias, *bavarois* o zumos...

• Las cerezas en aguardiente son muy fáciles de preparar; luego se usan en pastelería. El aguardiente, muy perfumado, servirá para aromatizar cremas, pasteles y macedonias, aunque también se puede tomar como digestivo.

Conservar los albaricoques

• Los albaricoques recién cogidos se congelan después de pasarlos dos minutos por el horno, pelados y deshuesados. De esta manera, quedarán mejor para preparar tartas que si los cocinamos en almíbar.

• La mermelada de albaricoque es mucho mejor cuando se le añaden unas cuantas almendras amargas.

Conservar los melocotones

Esta fruta es la más delicada para conservar porque está repleta de zumo.

• Pelados, cortados en dos (sin el hueso) y hervidos un minuto en almíbar pueden congelarse en bandejas. Serán un buen acompañamiento para los helados.

• También se pueden preparar tarros de melocotones en almíbar después de haberlos esterilizado cuidadosamente.

Índice

Créditos fotográficos

Todas las fotografías son de Émilie Courtat, excepto las señaladas, de la agencia MAP:
A. Deseat: pp. 5, 11 (derecha), 12, 15 (abajo), 25, 26 (izquierda), 36, 43, 48 (derecha, abajo), 50 (abajo), 57 (derecha), 70, 73; F. Didillon: pp. 26 (derecha), 27, 44, 56; F. Gager: p. 10; Y. Monel: p. 15 (arriba); N. y P. Mioulane: pp. 24, 34, 39 (abajo), 42, 46, 48 (izquierda), 48 (arriba), 50 (arriba), 57 (izquierda), 58, 60 (abajo), 74; F. Strauss: pp. 29, 68.